JN308026

アルバイト・アイ

諜報街に挑め

大沢在昌

角川文庫
18456

目次

帰ってきた男

1

春でもないのに、やたら瞼《まぶた》が重い。頭が接着剤をつけられたように枕からあがらない。こじあけた目には霞《かすみ》がかかっている。

眠い。このまま百年だって二百年だって眠れそうだ。

この時期、学校をサボるわけにはいかないことはわかっている。出席日数がギリギリなのだ。これ以上、欠席が増えると、卒業証書がもらえなくなる。そうなれば、いくら国家権力の後押しがあるとはいえ、東大入学は不可能だ。

それはまずい。数々の危険──殺し屋を敵に回し、ゲリラと渡りあい、鰐《わに》と仲よくして──をおかしてまで、手に入れようと思った銀杏《いちょう》マークの学生証が遠のいてしまう。

行商人のせがれから出発して、数々の苦難をのりこえ、ついに人生の勝利者の地位に達するはずだった、冴木隆《さいきりゅう》クンの人生スケジュールにひびが入る。

頑張って起きるのだ。起きて顔を洗い、「麻呂宇《まろう》」でモーニングサービスを食べ、地下鉄に乗って、都立K高校に向かわなければ。

人生の成功は、まず一歩一歩の地道な努力からなのだから。

このまま寝ていても、誰も起こしてはくれない。親父は、きのう僕がベッドに入った午前一時の段階で、まだ帰っていなかった。帰っていないかもしれないし、帰っているとしても高鼾《たかいびき》にちがいない。あの人をアテにしている限り、勝利者への道は遠い。

起きろ、起きるんだ。

全精神力を使って体を起こした。暖かな陽ざしが窓からさしこんでいる。

秋の夜長なんて誰がいったんだろう。

育ち盛りの高校生には、長すぎる夜なんてものはない。

僕はようやく上半身を起こして大あくびをした。

王女ミオの護衛から始まり、ジャングルのどんちゃん騒ぎに終わった、ライールのお家騒動から一ヵ月。

ついに受験まで半年を切っていた。あの騒ぎで、親父の依頼人である国家権力には、たっぷり恩を売ったので、東大推薦入学は、ほぼまちがいないところだが、きのう進路指導の担任から、キツーイ警告を与えられたのだ。

「冴木隆、三年で高校生活を終えたいか？」

「この学校にとても愛着はあります。ですが、やはり物ごとには潮時があるのじゃないかなー、なんて……」

「愛校精神に溢《あふ》れるのは結構。だったら、三月の終業式まで、今後いっさい欠席、遅刻はしないことだ。さもないと、楽しい四年目がお前を待っているぞ」

「げっ」

回想から我にかえり、枕もとの時計を見た。

「げっ」

針は無情にも七時四十分を指しておる。やばい、すぐに出なければ遅刻だ。

ベッドからとびおり、スラックスに両脚をつっこんだ。片脚ずつではなく、一度に両脚でスラックスをはけるのは、数あるリュウ君の特技のひとつ。

スウィングトップをこわきに抱え、部屋を出て、僕はリビング兼事務所に転げでた。

おや珍しい。親父がこんな朝早くからデスクにつき、難しい顔で煙草を吹かしている。

さてはきのうの麻雀の負け戦が腹にすえかね、一睡もできずに朝を迎えたか。

「起きてんなら、起こしてくれたっていいじゃない」

思わず言葉がスルドくなる。大体、誰の手伝いをしたおかげで、出席日数が足りなくなっておるのか。

「目覚ましの使い方も忘れるほどジャングル惚《ぼ》けしたか？」

「よくいうよ、そういう問題じゃないの」

親父ははき古したコットンパンツにヨットパーカーで、無精ヒゲという、いつもの姿。

「ずいぶん向学心に燃えているじゃないか。タイトスカートの似合う先生でも赴任してきたのか」

「あのね、自分を基準にしないの。卒業がやばいんだから」

親父の目の前には、ワイルドターキーのフラスコボトルとショットグラスがおかれていた。灰皿は吸い殻の山。よほどくやしくて眠れなかったと見える。

僕は親父がちょうど取りあげたショットグラスを横あいから奪いとった。朝食抜きなら、気つけが必要だ。

「おい、未成年が朝からバーボン飲んでいいのか」

「中年が働きもせずに朝からバーボン飲んでるよりマシ」

「その様子じゃ当分、バイトは無理だな」

「無理無理。『仰げば尊し』、歌い終わってからにしてくれる。じゃあね」

いいすてて僕は玄関のドアを開いた。ドアには我が家の窓の外のネオンと同じく、筆記体で「SAIKI INVESTIGATION」の文字が入っている。

つまりは私立探偵。

母親の顔を知らない僕が子供の頃から、この冴木涼介《りょうすけ》不良親父は、

「商社マン」に始まって、

「オイルビジネスマン」だの、

「ルポライター」、

「行商人」といった怪しげな商売に手を出し、あげくの果てが、「秘密諜報員《ちょうほういん》」と来た。

何がヒミツチョーホーインなのかさっぱりわからないが、おおかた行商で鍛えた語学力と面の皮の厚さ、それに諸外国暗黒街における顔の広さを買われたのだろう。

結局、とどのつまりが、この広尾《ひろお》サンタテレサアパートに、探偵事務所を開くことになった。

大家で一階のカフェテラス「麻呂宇」の圭子《けいこ》ママが親父に優しいのと、現役チョーホーインの、内閣調査室フクシツチョー島津《しまづ》さんが仕事を回してくれるおかげで、我が冴木家は、何とか路頭に迷わずすんでいる。

ごく平均的都立高校生であろうとつとめる僕が、ちっとも平均的になれないのは、すべからくこの、退廃的、労働心向上心道徳心欠如の親父のせいである。

世界広しといえども、息子に爆弾をしょわしたり、殺し屋をおびきだす囮《おとり》にしたり、変態異常性欲者の真似をさせる父親はこの人くらいのものだろう。それがすべて、家業の手伝い、即ち、アルバイト探偵の仕事なのだ。

まだある。

ショットガンで吹っ飛ばされそうになったこともあるし、毒入り吹き矢を射《う》たれたこともある。燃料のないヘリに乗っけられて、鰐がうじゃうじゃいる沼に落っことされたことすらある。

拳銃《けんじゅう》をつきつけられた回数なんて、ほんといちいち数えたらきりがない。

それにもかかわらず、僕が不良の道へ進まないのはなぜか。

ひとえに、持って生まれた、誠実で真摯《しんし》な、人生に対する姿勢のなせる業なのだ。

なのに、ああ。

出席日数が足りない、ただそれだけの理由で、僕を人生の階段からつき落とそうとしている教師がいる。

だが性格のいいリュウ君は、うらみもしないし、呪いもしない。ラッシュの地下鉄に揺られ、ただひたすら登校するのだ。

授業が終わり、塾・補習・予備校の「蟻さん組」、喫茶店・ゲームセンター・麻雀荘の「キリギリスさん組」のどちらにも別れを告げ、僕は地下鉄に乗った。

広尾サンタテレサアパートに帰りつくと、「麻呂宇」で、バーテンダーの星野ドラキュラ伯爵手作りのミートパイとウインナコーヒーに舌つづみを打った。

白系ロシアの血をひく、この星野ドラキュラ伯爵、なんと近所の女子大の映画サークルから、学園祭公開に向けてホラー映画主演の依頼が来ているそうな。

役柄はもちろん、「日本に上陸した吸血鬼」。残念ながら、星野さんは首をたてに振らないらしい。

「おしいわよね、隆ちゃん。ひょっとして、その演技が認められて、本当の映画デビューできるかもしれないのに」

せっせとマニキュアを塗りながら、圭子ママはいう。この人とうちの親父に共通点があるとすれば、どちらも年齢《トシ》相応の「生活感」が、カケラもないということか。

とはいえ、片や、美貌《びぼう》の大金持ち未亡人、こなた、財産と呼べるものは、無一物《むいちもつ》の無能不良中年、環境はまるでちがう。

ただし圭子ママは、女性特有の母性本能のゆえか、はたまた単にヒゲ男が好きなのか、あるいは店名にまでその名を起用するハードボイルド好きのなせる業か、親父にそこはかとない思いを寄せている様子。

またそのおかげで、我が親子は、今や一等高級地と化した広尾に住まいながらも、家賃は「あるとき払いの催促なし」という、超優遇措置。

「星野さん、出ればいいのに。映画界にデビューできるかどうかはわからないけど、今以上、女子大生のファンがつくことは請けあいだよ」

僕は鞄《かばん》から出したマイルドセブンに火をつけながらいった。

星野さんは重々しく首を振る。

「いいえ、結構でございます。お店の仕事がございますから。ですがもしママが、お店の宣伝に出よとおっしゃるのなら、話は別ですが……」

「あら、そんなこと」

圭子ママは塗り終わった爪をふっと吹いた。

「別にこれ以上、お客様を増やしたいなんて、わたし思ってないわ。今のままで充分よ。宣伝なんて、したってたかが知れてるし」

「でしたら、御遠慮させていただきます」

「……そうね。これ以上忙しくなったら、わたしもお洋服買いに行く時間、なくなっちゃうもの」

噂によると、三LDKの住居の半分以上のスペースを買いこんだドレスに占領されているというママの言葉には真実の重みがある。

とはいえ、今現在、店内にいる客は、僕の他にアベックがひと組だけだ。

「涼介さんは？」

「知らない。ふて寝してるのではないでしょうか。朝までモンモンとしてたから」

「体の具合でも悪いのかしら」

「そろそろトシだからね」

「何いってるの。涼介さん、まだ若いわよ」

そのとき「麻呂宇」の扉につけられたベルが鳴った。

「いらっしゃいませ」

星野さんの声に振り返ると、ぱりっとしたシルバーグレイのスーツを着けた長身の男がカウンターに歩みよってくる姿が目に入った。

薄い色のサングラスをかけ、髪をオールバックにしている。身長は百九十センチ近くあるだろう。ただの〝っぽ〟なだけじゃない。胸板も厚く、ヘラクレスではないにせよ、鍛えた体であることは明白。贅肉《ぜいにく》の〝ぜ〟の字も見あたらない。

しかもその顔は、圭子ママが一瞬、目をみはるほどの、すこぶるつきの美男子だった。中年の渋みというか、いかにも金持ちでインテリ、という雰囲気を漂わせている。彫りが深く、一見《いっけん》すると日本人とは思えないような、整った顔立ちだ。

つまりは、昼さがりの広尾はおろか、テレビでもめったにお目にかからないタイプ。男は無駄のない、それでいてキザにも見えない、洗練された物腰で、僕のひとつおいた隣の、カウンター席に腰をおろした。

「ここ、よろしいですか」

低いなめらかな声が、その唇を割った。

「あ、はい。どうぞ……」

呆然《ぼうぜん》と見とれていたママが、我にかえったようにあわてて水のグラスをさしだした。

「何にいたしましょう」

男はゆっくりと首を動かし、僕の方を見た。ミートパイの皿は空っぽだが、ウインナコーヒーのカップには半分ほど残っている。

「隆くんと同じものを」

男がいった。

ママと僕はびっくりして男を見た。星野さんだけが落ちついている。

「隆ちゃん、お知りあいの方?」

「いいえ。初対面ですよね」

男が微笑んだ。リュウ君の百万ドルの笑顔にも匹敵する笑みだった。証拠に、ママがうっとりしたような溜《た》め息をついたほどだ。

「君はもう覚えていないだろう。この前に会ったとき、君は、まだおシャブリをくわえていた」

ママが笑い声を立てた。ちょっとばかり傷ついて、僕は男をにらんだ。

「すると親父のお知りあいですか？」

だとすりゃ、見かけはともかく、ロクでもない稼業の人間に決まっている。

男は渋い笑みを唇にはりつけたままだった。

「知りあい。そうともいえる。お互いのことはよく知っている、確かに」

よくわからんことを、男はいった。

「親父に御用ですか」

「そう。冴木に会うのは、今でなくてもいい。君の姿が外から見えたので、話してみたくなった」

ますますわからんことを、男はいった。もっとも親父の知りあいなら、ここでダイナマイトをくわえ火をつけて見せても、驚くにはあたらない。

僕は肩をすくめた。男はおもむろにジャケットの内側に手をさしこんだ。

出てきたのは、ダイナマイト、ではなかったが、匹敵する太さを持つ葉巻だった。

男はそれを手にし、圭子ママを見た。

「失礼……。よろしいかな？」

「は？　はい、もちろん、どうぞお吸いになって下さい」

お礼の言葉代わりに小首を傾けて、今度はサイドポケットから取りだした金のカッターで吸い口をはねた。次いで、今では新宿のホストクラブぐらいでしかお目にかかれないような、でかい漆塗りのデュポンで火をつける。

芳香が漂った。くどすぎず、上品な香りだ。

「どうぞ」

星野さんがウインナコーヒーのカップを男の前においた。

ひと口すすり、男は頷《うなず》いた。

「うん。いい豆をお使いだ」

「ありがとうございます」

ママはぼうっと上気した顔でいった。男はママに微笑んでおいて、僕を見た。

「隆くんは、何年生になったのかね」

「高校三年ですが」

「大変な時期だね」

「まあ……、考えようですが」

としか、いえないよな。

男はぐっと身をのりだした。サングラスの奥からじっと僕を見つめる。

ひょっとして美形にありがちな、バイセクシュアルだろうか。

「これまで外国に行ったことは？」

「何度か」

「最近では」

「ライールという、東南アジアの国に」

「ほう……」

男はぷかり、と葉巻を吹かした。

「面白かったかね」

「考えようによっては」

と、しかいえない、やっぱり。

「危険な目にあったかね？」

「何度か」

「嫌にはならなかった？」

僕は再び肩をすくめた。

「本当に危険な目なら、こちらが嫌だと思おうが関係ないでしょう。嫌になって帰ってこられるくらいなら、本当に危険とはいえない」

男は頷いて笑った。

「その通りだ。だが君は無傷でここにいる。つまりは切り抜けたわけだ」

「運がよかったんです」

「すぐれた人間は、運も味方にする」

重々しく男はいった。

「運しかない人間もいますけれどね」

僕は目を天井に向けていった。男は首を振った。

「いいや。冴木は有能な人間だ。恐ろしく有能だった。だからこそ……」

僕を見つめた。

「何ですか？」

「いや……何でもない。ありがとう、君と話せてよかった」

男は右手をさしだした。その指に青い石の指輪がはまっているのを僕は見つめた。

僕の手を握り、男は立ちあがった。圭子ママを見た。

「ありがとう、大変においしいウインナコーヒーをいただいた、感謝します」

「い、いえ、そんな。あの、もしよろしければこちらで、涼介さ――いえ冴木さんがお見えになるのをお待ちになっては……」

「いいや。私と彼が再会するには、このような美しい方がいらっしゃる場所はふさわしくない」

歯が浮くようなせりふをさらっと男はいってのけ、圭子ママの手をうやうやしく握った。

「どうしましょう……」

ママは今にも気絶しそう。

男は懐から薄い革の紙入れを取りだした。手の切れるような一万円札をカウンターの隅にのせる。

「お釣りは、どうか、冴木に、おいしいコーヒーを私からの奢《おご》りだと……」

「涼介さんに……？」

「名前は何とお伝えすればいいんです？」

僕は訊《たず》ねた。

男は微笑み、ゆっくりと首を振った。

「名前になど意味はない。私と冴木が生きてきたような世界では」

そしてくるりと踵《きびす》を返し、出ていった。僕はママと顔を見あわせ、一瞬遅れてあとを追った。

「麻呂宇」のガラス扉を開くと、男が止められていた車の後部席に乗りこむところだった。

制服を着けた運転手が扉を閉め、素早く運転席に乗りこむ。

僕は思わず、口をぽかんと開いた。

車はロールスロイスのファントムだった。

2

親父が「麻呂宇」に現われたのは、それから二時間もしてからだった。

上からではなく、外から入ってきたことで、親父が寝ていなかったのがわかった。

服装も朝とはちがう、ジャケット姿だ。

「涼介さん！」「親父！」

僕とママが口々にいったので、親父は少し驚いたような顔をした。

「どうした？　気の短い依頼人でも来たのか。見たとこ、店が壊されている様子はないが……」

「素敵な人ねえ――」

僕が説明するより早く、ママがいった。身をねじり、今なお上気した顔をしている。

「俺か？　このジャケット、そんなに似合うかな」

親父は不思議そうに僕を見た。

「ちがうよ！　夕方、あんたの知りあいだという人がここに来たの」

「知りあい？　何て奴だ」

親父は面くらいながらも僕の隣に腰をおろした。所有者に断わりなく、目の前のマイルドセブンを一本抜いてくわえる。

「名前はいわなかった。名乗ったところで意味はないってさ」

「キザな奴だな」

「キザもキザ、大キザ。ぶっとい葉巻くわえて……」

「キューバ産のラ・コロナでございますね、あれは」

星野さんが静かにつけ加えた。

親父の目が細められた。

「背が高い二枚目か？」

「そう。誰かさんとちがって、えらく渋いナイスミドル」

「デ・ニーロにちょっと似てたかしら」

ママがうっとりと呟《つぶや》いた。

「持って回った喋《しゃべ》り方をして、貴族趣味のなりをしていた？」

「うん」

僕が頷くと、親父の手の中で吸いかけの煙草がふたつに折れた。

「くそ……」

「どうしたの？　涼介さん」

我にかえったママが驚いたようにいった。

「やっぱり生きていやがったのか」

「昔馴染《なじ》み？」

僕は訊ねた。

「そうだ。きのう噂を聞かされた。だがガセだと思っていた。いや、思うことにした。ガセじゃなかったんだ」

「どういうこと？」

親父はじっと僕を見た。

「奴は何をいった？」

「別に。親父に会うのは今じゃなくていい、とかいって、僕のことをあれこれ訊《き》いた」

「何を訊かれた⁉」

不意に親父は激しい口調になった。

「外国に行ったことはあるか、とか、危険な目にあったことは、とか」

「何と答えたんだ？」

「別に。適当。何回か行ったことはある。危険な目にはあったことあるけど、運がよかったってね」

「そうしたら？」

「それだけだよ。有能な人間は、運も味方につける、とかキザなことといっちゃって。万札一枚出して、お釣りは父ちゃんにコーヒーを奢ってくれって……。それから、ショーファーつきのロールスで、さらば……」

親父は強く口をひき結び、空中の一点を見つめた。無理に自分をおさえようとしているみたいに、荒々しく鼻から息を吸いこむ。

「どうしたの？　親のカタキみたいだよ」

「……カタキだ」

ぽつりと親父はいった。

「誰の？」

「お前にいっても始まらん。だが奴には気をつけろ。奴ほど危険な男はめったにいない。今後、また会うことがあっても一切、関わりあうな」

親父は歯の間から言葉を押しだすようにいった。

「それってちょっと大げさなんでない？」

「大げさじゃない！　奴にとっては、お前のような小僧が絶好の素材なんだ」

「美少年趣味があるとか」

「あのな……」

さすがに親父は苦笑いを浮かべた。

「そういうのじゃない。とにかく、出席日数のことも含めて、忠告しておく。奴のことは忘れちまえ、会ったことも何もかもだ」

仕方なく僕は頷《うなず》いた。普段は脳天気な親父がここまでいうからには、あのキザ中年と、過去、容易ならん出来事があったにちがいない。

「そういえば、親父に再会するには、ママみたいな美人がいるところはふさわしくない、とかなんとか、いっておったな」

「そうだ」

親父は、僕のこの言葉にだけは、すんなり頷いた。

「奴のいう通りだ。奴と俺が出会うには、確かにここはふさわしくない。奴と俺が会えば、たとえそれがどこであろうと……」

親父の声が低くなった。

「――そこは地獄になる」


「麻呂宇」で夕食をすませた僕は、ひと足先に、上にあがった。親父は気難しい顔でビールをなめつづけている。

過去、親父の昔馴染みがからんだトラブルに巻きこまれたことは一度ならずある。

ひとりは、親父の命をつけ狙う、東南アジアの麻薬王の伜《せがれ》で、そのときは、向こうが親父を親の仇《かたき》とばかりに追ってきた。

もうひとりは、日本人で、本名は知らないが、藤堂《とうどう》と名乗っていた男だ。親父の行商《スパ》人《イ》時代の仲間で、互いにフリーとなってから、ことあるごとに利害が対立し、ついにはサシの決闘で、親父に射殺された。

利害といっても、あちらは法に触れる仕事ばかりをしてきたのだ。身から出た錆《さび》、と、いえばいえる。

どちらの場合も、命がけの危機は一度ならずあった。だからといって親父が、今日のように血相を変えるようなことはなかった。

とすると、あの男は、親父にとっては絶対に許しがたい宿敵だというわけか。

だいたいが、「地獄」なんて言葉を使うガラではないのだ。本気で危機感を抱いておる様子など、一緒に暮らしていても、未《いま》だかつて見たことがない。

親父の親の仇にしては、年が若い。親父よりは年上だとしても、せいぜい、四十七、八だろう。

そういえば……。ふと僕は奇妙なことに思いあたった。親父の生い立ちを聞かされたことがない。

どうせ血がつながっているかどうかは、怪しいところなので、僕のグランパやグランマ、という話にはならないだろうが、それにしても、あの人はどこで生まれ、どんな育ち方をしたのやら、まるきり話してくれたことがなかった。

訊いたところで、適当にはぐらかされるのがおちだが、試すくらいならしてもいいだろう。

三時間ばかり受験勉強（いちおう）に励んで、親父が二階にあがってくると、僕は部屋から出ていった。

親父はひどく憂鬱《ゆううつ》そうな表情でロールトップデスクの前に腰をおろしていた。椅子に背中を預け、生気のない顔で、両足の踵《かかと》をデスクにのせている。

昼からは、火のついていない煙草がぶらさがっていた。

僕が向かいの、崩壊寸前のソファに腰かけても、目玉ひとつ動かそうとしない。

しばらくそのまま、僕と親父は黙って向かいあっていた。

やがて、親父がのろのろと首を回し、僕を見た。

「何だ？」

「一度訊こうと思っていたのだけれどさ、父ちゃんはどんな環境で育ったの？」

「大勢の召し使いにかしずかれ、学校へは運転手の送り迎え。眠るときは乳母がつききり、てのはどうだ？」

僕は溜《た》め息をついた。

「やっぱりね。訊いた僕が阿呆《あほう》だった」

「何でそんなことが知りたい？」

「別に。何となく」

「そのうち話してやる」

「いつさ」

「そのうちだ」

「まあ、そんなところでしょう」

僕はいって首を振り、立ちあがった。キッチンの冷蔵庫から、これだけは在庫を欠かしたことのない、バドワイザーの缶を取りだした。

「飲む？」

「もらおうか」

栓を開けた一本を三分の一ほど飲み下し、もう一本を、デスクの上においた。

「おい」

プシュッとその栓を開きながら、親父はいった。

「なあに」

「お前が昼間会った男な……」

「――？」

「俺の兄貴だ」

しばらく言葉が出なかった。親父の親類縁者という代物に、未だかつて僕は会ったことがない。

それが、会ったらその場が地獄に変わる、というあの男が、親父の兄貴だというのだ。

「マジ？」

親父は暗い目で僕を見た。無言で頷く。

「似てないぜ」

「だが兄だ」

「じゃあ――」

どうして、という言葉を僕は呑《の》みこんだ。これ以上つっこむのは、いかに親子といえども、デリカシーに欠けるような気がしたのだ。

デスクの上の電話が突然、鳴り響いた。近くに立っていた僕が手をのばした。

「はい、冴木探偵事務所《サイキ・インヴェスティゲイション》です」

「隆くんか、島津だ」

国家権力に直結する、親父の昔馴染《なじ》みだった。

僕は受話器を手でかこい、親父を見た。

「島津さん」

「いないといえ」

親父は低い声でいった。目は虚《うつ》ろに空中を見ている。

「申しわけありません。また雀荘《じゃんそう》かどっかにしけこんでいるみたい」

「そうか……。冴木に伝えたいことがあったんだが」

「伝言しますよ」

「じゃあ、そうしてくれるかな。内容はこうだ。〝例の男が我々に接触を求めてきた、もし冴木が興味あるなら、今夜零時、『レジーナ』というクラブで待っている〟」

「わかりました」

「レジーナ」の名を聞いたとき、僕はちょいと眉《まゆ》を吊《つ》りあげた。青山にできた、最先端の店なのだ。会員制で、メンバーは、今をときめく芸術家や芸能人、大使館員など、有名人やお金持ち、つまり現代の特権階級ばかりなのだ。

受話器をおろした僕は親父に、島津さんの〝伝言〟を伝えた。

「島津さんわかってたみたいだよ、居留守って」

「そうか」

親父は表情を変えなかった。

そのとき、僕はぴんときた。〝例の男〟というのは、夕方の男だ。

「行くの？」

僕が訊《き》いても、

「さあな……」

はっきりとした返事は返ってこなかった。

だが、十一時少し前になると、親父が僕の部屋の扉をノックした。

「なあに」

とりあえず、机の前に戻っていた僕は振り返った。

「出かけてくる。遅くなるかもしれん」

親父は一張羅のセルッティを着こんでいた。

「青山？」

僕が訊くと、親父は薄く笑った。

「ナンパだよ」

「受験生は、オナニー以外に無駄な精力を使わんもんだ」

「つきあおうか」

「ご冗談を」

「じゃあな」

親父はいって出ていった。

珍しいことだった。いちいち出かけるたびに、帰りの遅い、早いを告げる人ではない。

あの「遅くなる」には、意味があるにちがいない。

僕は日本史の参考書を閉じ、煙草をくわえた。どうもおかしい。

たとえば、一日、二日帰らない、とか。いや、それくらいなら、あの人の場合、帰りが遅いとはいわない。

何ヵ月、あるいは何年、という単位で初めて、遅い、といえるのだ。

とにかく、親父の様子は変だった。

僕はしばらく考え、事務所をのぞいた。別にどこといって変わった様子はない。もっとも、たとえこれが一生の別れであっても、置き手紙など、していく人でないことは確かだ。

やむをえない。何が起きるのか、この目で確かめようでないの。

僕は親父のデスクに尻《しり》をのせ、電話を取りあげた。

かけたのは、僕の家庭教師にして、ときに頼りになるアシスタントの麻里《まり》さんのところだった。

麻里さんは、国立大学法学部の現役女子大生にして、元女暴走族の頭《アタマ》という、華麗なる過去を持っている。並のモデルなどまっ青の、すぐれたプロポーションと美貌《びぼう》に、いいよる男も数限りないが、どういうわけか、親父をお気に入りで、いずれ師弟愛を男女愛に昇華させたい僕としては、そのあたりつらいものがなくはない。

だが、「レジーナ」に潜りこむには、美しきパートナーが、この際、どうしても必要ではある。

レポート作成のためとかで、麻里さんは運よく自宅にいた。僕はかいつまんで事情を話し、親父に内緒で「レジーナ」に引率してくれるよう、麻里さんを説得した。

『レジーナ』か。そういえばメンバーズカードをひけらかして迫ってきたアホK大生がいたっけ」

「お願い、麻里さん。そいつたぶらかして通行手形、手にいれて」

「関所破りじゃあるまいし。でも涼介さんのそれって気になるわ」

麻里さんも僕と同じ感想を洩《も》らした。

「じゃあ一時間後に、『レジーナ』の前でどう？」

「オーケイ。でも高校生だって見やぶられないよう、大人の格好してくるのよ」

「傷つくな、僕ってそんなに子供？」

「まさか。隆ちゃんは、涼介さんとちがってひとりでも立派にやっていける大人よ」

かえって心穏やかならぬ気持にさせられることをいって、麻里さんは電話を切った。

3

「レジーナ」は、青山二四六《によんろく》通りから青山小学校の横手に一本外れた通りの、ビルの地下にある。

建物の地上部分は、外車の販売ショールームや設計事務所などが入った、今ふうオフィスビルで、地下だけがレストランバーになっている仕組みだ。従って、ビルの地上部分は、ショールームをのぞけば、すべての明かりが消えている。にもかかわらず、その周辺は、フェラーリやポルシェ、ジャガーやベンツといった、高級車の陳列会場だった。

約束の時間より少し早く、愛車の四百ccで「レジーナ」の前に着いた僕は、ロールスを捜した。

止まっていないところを見ると、まだ例の男は現われてないようだ。あるいは、運転手はどこか離れた位置で待機しているのか。

十二時十分過ぎ、麻里さんがタクシーから降りたった。

ピンキー&ダイアンやジュンコ・シマダなどにうつつをぬかす、ひと山幾らの女子大生と一線を画す、ストレートパンツルックだ。

ニットのハーフジャケットの下にのぞくのはシルクのブラウスとシャネルのスカーフと見た。

肩までの髪をソバージュにした麻里さんが軽やかな足どりで「レジーナ」の入口に近づくと、僕ははりついていた電柱の陰から足を踏みだした。

「あら、そんなところにいたの！」

麻里さんは驚いたように振り返った。本来、胴長短足の日本人には、およそ似合わないパンツスタイルがびしりと決まっている。決して上げ底ヒールで、その股下《またした》をカバーしているのでないことは、最前承知のリュウ君。

「涼介さんは？」

麻里さんの問いに僕は首を振った。僕が「レジーナ」の前に到着してから、親父を含む、知った顔には誰ひとりお目にかかっていない。どうやら国家権力御一行様は、既に店内にいるようだ。

「まあまあ、ね」

麻里さんは僕の格好を点検していった。十二回払いのローンで購入したコムデのスーツは、とりあえず二十歳以上に僕を見せてくれるはずだ。

「ローン、まだ半分残っているんだ」

僕がいうと麻里さんはくすっと笑って、肩から吊るしたロエベのバッグに手をさしこんだ。

「このカード借りるために、あさってドライブつきあう約束させられたんだからね」

メンバーズカードと覚しい、透明のフィルムのようなカードを取りだした。

「テキは麻里さんの前身を知っておるの？」

「まさか。わたしと共同で法律事務所を開くのが夢なんだって」

「かわいそーに」

「どういう意味よ」

「別に」

「ナマいうと、ヤキ入れちゃうよ」

「おっとろしい」

店の入口は、ガラスのはまった観音開きのドアで、それを押すと、奥に階段があり、手前のクロークカウンターが、入場者をチェックしていた。

「いらっしゃいませ」

慇懃《いんぎん》に頭を下げた黒服に、僕は麻里さんから渡されていたカードをさしだした。黒服はカードを小さなスライド映写機のような機械にかけた。

どうやらきちんとチェックをしている様子。にこりともせずにいう。

「堀江様でらっしゃいますね」

堀江というのが、麻里さんに共同経営者の夢をたくす、憐《あわ》れなK大生の名らしい。

僕はいかにも遊び人の坊っちゃんらしく、鷹揚《おうよう》に頷《うなず》いてみせた。

黒服は抜いたカードを、控えていたタキシードドレスの女の子に手渡した。

「堀江様おふたりを御案内して下さい」

僕はそれを横からすっと抜きとった。

「いいよ。中のことはわかってる。適当に場所を見つけるから」

一瞬驚いたように黒服たちは僕を見た。だが案内されるにまかせて、席にすわったらそれが親父たちの席の隣だった、なんて羽目になったらコトだ。ここは行動の自由を確保しておかなければならない。

僕は「わかってよ」というように黒服に頷いてみせた。

「承知いたしました。お気に入りの席がございましたら、そのようにウエイターにお申しつけ下さい」

「サンキュー」

いって、僕は麻里さんの腕をとった。

階段を下ると、店内を流れる「ガンズ・アンド・ローゼズ」のサウンドが僕らを包んだ。麻里さんが囁《ささや》いた。

「シンゾーね。本当にここのこと知ってるの?」

「全然」

「あきれた」

地下一階のフロアは、だだっ広くて、中央に現代美術のオブジェらしき、巨大な彫刻が飾られ、スポットライトを反射している。東京タワーと超高層ビルをひっつかんだゴジラがそれをこねあわせて団子をこしらえた、という形だ。床は大理石ばりだった。円形のカウンターが壁沿いにはりめぐらされ、そこでいかにもギョーカイ風のお兄さんやお姉さんがグラスを手にしている。

　僕はひと渡りさっとそれを眺めた。知った顔はない。

「お店ってこれだけ!!」

　麻里さんに叫んだ。これでは美術部の部室でコンパをやっているのと大差ない。

「ちがうわ！　奥にボックス席があるの」

「オーケイ、行ってみよう」

　麻里さんが指さした方角に僕は歩きだした。

　確かに奥の方に、半二階、半地下といった感じのスペースがあり、中央にあるほど大きくはないが幾つかのオブジェで区切られている。

　僕らがいるフロアとの境目に、天井から一列の強いスポットライトがさがっているせいで、光のカーテンによってさえぎられた格好だ。

　会合が上の部分、下の部分、どちらで行われているかということについては、僕には考えがあった。

　島津さんを含め、親父や、親父の兄貴だという男たちは、いわば危険を商売にするプロだ。とすれば、いつ何が起きても即座に対応できる場所に座を占めるのが常識である。

半地下席では、店内で万一、何かことが起こった場合、状況把握が難しい。やはりここは一段高くなった半二階席で会合がもたれていると判断するべきだろう。

とすれば、あとはどうやってそこの人間たちに気づかれず近づくかだ。

幸いにボックスとボックスを区切るオブジェは、ひと抱えに余る大きさがあって、その裏側にぴったりとはりついてしまえば、反対側から顔を見られる恐れはない。

ただ並んだスポットライトの下をくぐり抜けるとき、どうしても姿が丸見えになってしまう。

僕はスポットライトの光の列から外れて陰になる通路を捜した。

見つからない。

どうやら、いちかばちかライトの下をくぐって半二階席にあがる他ないようだ。

「ちょっと待ってて」

僕は麻里さんにいって目についた化粧室に入った。髪をべったりと水で濡《ぬ》らし、即席のオールバックヘアにする。ジャケットの内側に入れておいたサングラスをかけ、鏡に映した。

親父の目はごまかせないが、島津さんたちなら、チラッとくらいなら何とかなるだろう。島津さんは、ドレスアップしたリュウ君の姿を見たことがない。スポットライトさえくぐってしまえば、店の中は暗いし何とかなる。

化粧室から出てきた僕を見て、麻里さんは眉《まゆ》をひそめた。

「どうしたの？」

「いいから、先に行って」

僕は麻里さんの陰に身をすくめるようにして、光のカーテンをくぐり抜けた。

案の定、半二階席の一番奥に、この店には不似合いなダークスーツの一行がいた。ひと目でそれを見てとると、僕は、ちょうど空いていたオブジェの裏側の席に素早く腰をおろした。

一行からは、立ちあがってのぞかない限り、僕の肩から上は見えない。

「やれやれ」

小声でいって、僕は溜《た》め息をついた。

親父の姿はなかった。いたのは、島津さんと、前にも見たことがある島津さんの部下がふたりだ。例の男もいない。

「涼介さんがいないわね」

麻里さんが囁いた。僕は頷いた。どうやら会合はまだ始まっていないらしい。

僕は時計を見た。約束の時間を三十分ほど過ぎている。

オブジェの裏側からは何の話し声も聞こえてこない。

僕は麻里さんを店の入口に近い側にすわらせ、動いている客たちを観察した。店内はけっこう混み始めていた。百人近い人間が、中にはいるにちがいない。

歩みよってきたウエイターに、麻里さんがペリエとジントニックを注文した。どうやら引率中は、未成年者にアルコールを飲ませない方針のようだ。

届けられたペリエをふた口ほど飲んだときだった。人波を割るように進んできたふたりの男が僕の目を惹《ひ》いた。どちらも若く、二十歳を越えたばかりといったところだ。デザイナーズブランドのスーツを着けているが、妙に周囲の客とは異質の雰囲気を漂わせている。

ふたりとも背が高く、がっちりとしているが、やけに表情に乏しい顔つきをしている。しかも互いに仲間であることは明白なのに、五メートル近く離れて立っているのが変だった。

ふたりは並んで入口の階段を降りてきたにもかかわらず、店内に入るとさっと分かれたのだ。

ひとりは日本人ではなかった。浅黒く、彫りの深い顔立ちをしている。

ふたりとも、注意深くスポットライトの真下には入らぬようにしながら、店内を観察している。

やがてひとりが、相棒に小さく頷くと、入ってきた階段にとって返した。

しばらくすると、もうひとりの男を伴って階段を降りてきた。

その男がスポットライトの列の下をくぐり抜ける。

僕は素早く麻里さんを抱きよせた。

「ちょっと！　何するの――」

「いいから、黙って」

麻里さんの耳に囁いた。

例の男だった。「麻呂宇」に現われた、親父の兄貴だ。

背後で島津さんたちが立ちあがる気配があった。これを僕は警戒したのだ。

僕はいい匂いのする麻里さんの髪に顔を押しつけ、うなじに口をあてがった。

「遅れて申しわけない」

半二階席にあがってきた男がいった。

「いろいろと手ちがいが生じたのだ」

「いいわけはいい。何のための接触か、わけを聞こう」

島津さんがいった。厳しい口調だった。

背中あわせの革ばりのソファが軋《きし》んだ。腰をおろしたようだ。

僕は麻里さんの首から顔を離した。

「ばか」

麻里さんがちょっぴり上気した顔で、小さくいった。

「久しぶりだな」

一瞬の沈黙のあと、男がいうのが聞こえた。

「こんなところをうろうろしていていいのか。冴木が見つけたら、ただじゃすまんぞ」

島津さんがいう。

「そのときはそのときだ。失礼する」

カチッという音がした。どうやら例の葉巻を取りだしたようだ。しばらくして芳香が僕らの席にも漂ってきた。

「今日の午後、冴木のアパートを訪ねた」

男がいった。島津さんがはっと息を呑《の》む気配が伝わった。

「会ったのか、冴木に」

「いや、奴は出かけていた。代わりに隆くんという息子に会った。最高の素材だな」

「馬鹿な考えは持たんことだ。冴木に殺されたいのか」

島津さんが静かにいった。

「関係ない。奴は何があっても私を狙う」

「あんたと冴木の間に何があったかは知らん。だがこれだけはいっておく。この街をうろうろするな！」

「大層な剣幕だな」

「あたり前だろう。自分のしていることを考えてみるがいい」

「私がしているのは、そんなにひどいことか？」

「当然だ。麻薬や武器の商人より、もっとタチが悪い」

しばらく間があった。やがて男がいった。

「その私が助けを求めているとしたら？」

「お門ちがいだ。取引のある連中に頼め」

「そうはいかんのはわかっているはずだ。利害関係が複雑すぎるのでな」

「あいにくだな。我が国はいっさい、お前とは関わらん」

「そうか。助けてくれれば、そちらにも口を用意したのだが」

「お断わりだ。お前のところの人間など、こちらには必要ない」

「残念だ……。冴木にでも頼んでみるか」

「気は確かか。冴木がお前に手を貸すはずがないだろう。冴木は、お前のような人間を、最も憎んでいるのだぞ」

「冴木には、今夜のここのことは知らせたのか」

男が訊《たず》ねた。

「知らせた」

「なぜ？」

「お前にはわかるまい。友情だ」

「友情か。こいつはおかしい」

男が笑い声を響かせた。

「――話というのはそれだけか」

「そうだ。とりあえずのところはな」

「帰るぞ」

島津さんが立ちあがる気配があった。今度は麻里さんの方から僕に抱きついてきた。話の重大さはともかくとしても、実に悪くない気分だった。

島津さんが二人の部下を従えて、フロアをよこぎっていくのを、僕は麻里さんの髪のすきまから見つめた。

「どうします？」

男と一緒にいた若い男がいった。

「まあいい。見えていたことだ。策はある」

「やはり、センターの連中に頼んだ方が……」

「馬鹿なことをいうな。奴らに何ができる。いっさいを滅茶苦茶《めちゃくちゃ》にしたあげく、すべて、自分たちのものにしようと考えるのがせきの山だ」

「しかし――」

「それにセンターが動けば、ラングレーも黙ってはいない。そうなれば戦争だ」

「………」

物騒な話をしておる。ラングレーの名が出てきたところで、僕はようやく会話の中味の見当がついた。

センターはKGB、ラングレーはCIAを意味している。東西両陣営の行商人《スパイ》の拠点だ。

「長居は無用だ。行くぞ」

これを待っていた。三たび、僕と麻里さんは抱きあった。

男が若者ふたりを連れて階段を登っていくのを僕は見送った。

「ちょっと、いつまでくっついてる気？」

麻里さんのシビアな声に泣く泣く、腕を離した。

「気分出てたのに」

「何いってるの、行きましょ」

「行くって、どこに？」

「涼介さんを捜して、今の話を伝えなきゃ」

「でもクモをつかむような話じゃない」

「涼介さんに関係あるのは確かよ。ほっておくわけにはいかないわ」

どうも麻里さんには、リュウ君より涼介さんの方が気がかりなようだ。

「へいへい。でもナンパに行くっていっておったな」

麻里さんが、きっとなって僕を振り向いた。

「ちょっと、それ本当？」

「受験生、嘘つかない」

麻里さんは強く唇を嚙《か》んだ。おっかないけど、セクシーな表情になる。

麻里さんはそのままひと言も発さずに立ちあがった。つかつかとフロアに降りる。

「ちょっと待ってよ」

仕方なく僕はあとを追った。

「いいわ、隆ちゃんは帰っても」

歩きながら麻里さんはいう。

「麻里さんは？」

「涼介さんを捜す」

「俺もつきあうよ」

出口につづく階段の途中まで来たところで、麻里さんは立ち止まった。

「隆ちゃんは受験生でしょ。そんなことしてる暇あるの？」

「ことがことだし……」

僕は肩をすくめ、麻里さんを追い越すと先に階段を登った。

「俺払うよ」

「いいわよ」

麻里さんがいって、キャッシャーの前に立った。

僕は肩をすくめ、出入口の扉を押した。なぜ麻里さんがこんなにカリカリし始めたのか、理由がわからなかった。

表に首を出したところで立ちすくんだ。

「麻里さん！」

「どうしたの？」

「電柱」

僕は麻里さんの腕をつかんでひきよせると、扉の陰から指さした。

さっき僕が隠れていた電柱の陰に佇《たたず》んでいる人影があった。心持ち首をうつむけるようにして、背中を見せている。

「涼介さんじゃない？」

僕は頷《うなず》いた。

その電柱の陰から死角になる位置の路上に、例の男と二人の連れが立っていた。若い男たちは、まるでボディガードのように、真ん中に男をはさんでいる。運転手が車をつけるのを待っているようだ。首をのばし、目の前の道路の彼方《かなた》を見ている。

僕は親父に目を戻した。

親父はゆっくりと振り返ったところだった。右手がジャケットの内側にさしこまれている。

僕は息を呑んだ。

引き抜いた親父の右手には、どこで手に入れたのかリボルバーが握られていた。

「粕谷《かすや》……」

親父が電柱の陰からゆっくりと足を踏みだし、銃を構えた。

立っていた三人が凍りついた。親父の呼びかけは、中央の男に向けられたものだった。

次の瞬間、手前側にいた、浅黒い方の男が懐からオートマチックの拳銃《けんじゅう》を引き抜いた。

「親父！」

思わず僕は叫んで飛びだした。

親父の目が一瞬、僕を見た。銃声が轟《とどろ》いて、親父の体が一回転した。

撃たれた！

そう思った途端、親父が膝《ひざ》をついて発砲した。

浅黒い男の右肩がぱっと裂け、血がしぶいた。

「親父！」

僕はふた組の中間にあたる道の中央まで駆けだしていた。

「来るな！　リュウ！」

親父が叫んだ。苦しげな顔をしている。

そのとき、キキキッというスキッド音に振り返った。

一台の車が猛スピードでこちらめがけてつっこんでくるところだった。

僕と車の距離は十メートルと離れていなかった。

親父がそちらを見ると、たてつづけに撃った。フロントグラスが真っ白に砕け、それからのことがスローモーションフィルムのように僕の目に焼きついた。

砕け落ちたフロントグラスの内側で、喉《のど》のあたりを血で真っ赤に染めた男がのけぞった。車は横すべりを起こしながらも、僕の方角にふっとんでくる。

後部席に二人の男がいるのが見えた。ふたりとも小型のサブマシンガンを手にしている。

唸《うな》り声のような銃声が車内で響き、一列の弾痕《だんこん》が「レジーナ」の入口扉に穿《うが》たれた。

粕谷と呼ばれた男を守っていたもうひとりの若い男が、親父から車の方に向きを変え、拳銃を連射した。

親父も車を狙っていた。

親父が盾にした電柱がサブマシンガンの銃弾を浴び、火花を散らした。

親父の撃った一弾が後部席の射手をのけぞらせた。

外車のショールームの巨大なウインドウが粉々に砕け落ちる。

親父ががくりと膝をついた。

次の瞬間、すべってきた車のリアが僕をはねとばした。

僕は粕谷たちの方角に弾《はじ》きとばされた。

「リュウ！」

親父が叫ぶのが聞こえた。

僕はアスファルトの路面に体を叩《たた》きつけ、息を詰まらせた。

ぐるぐると転がり、ようやくガードレールに体をぶちあてて動きが止まった。見あげると粕谷のボディガードが銃口を僕に向けていた。

そして気を失った。

閉ざされた町

1

長い、長い眠りだった。幾度も目覚めては、幾度も眠りに落ちた。

自分がどんな状態なのか、まるでわからず、どこで寝ているかもはっきりとしない。

長い時間、僕の頭の中は霞《かすみ》がかかったようだった。目が覚めている一瞬も、頭は働かず、ぼんやりと夢のつづきの中にいるような気分でいた。

本当に目覚めたとき、まず感じたのは、自分が途方もなく長い時間、眠っていたにちがいないということだ。

全身の筋肉が固く凍りついてしまったようだ。目覚めてからしばらくたって、ようやく体を動かそうという気持になった。

まず寝返りを打った。

背中と頭が、ばりばりと音を立てた。

とうに開いていた目に、白い壁紙が見えている。清潔で糊《のり》のきいたシーツの上に、自分の体が横たわっていることもわかった。

そこは明るく、すがすがしい匂いがした。

僕は首を持ちあげた。

寝かされていたのは、八畳ほどの洋室におかれたベッドだった。同じ部屋にデスクがあり、何冊もの本が積まれている。

デスクにさしこまれた椅子の背にナップザックがかかっていた。

デスクとは反対側の壁ぎわに棚があり、CDカセットプレーヤーと雑誌らしい本、こまごまとした置き物が並んでいた。

デスクの奥は窓で、明るい色のカーテンがかかり、光がそれを通して部屋に流れこんでいる。

――病院じゃないな。

僕がまず思ったのがそのことだった。病室にはどう考えても見えない。ここは、誰かの部屋だ。

それも僕とさほど年の変わらない、高校生か大学生の部屋だ。

ベッドサイドに小さな椅子がおかれ、そこに目覚まし時計と本、スタンドがのっていた。

時計は、三時をさしていた。光の具合から判断すれば、午後三時だろう。

僕はゆっくりと腕を持ちあげた。かすかな痛みが左肩のあたりにあった。打ち身のような痛みだ。

一張羅のコムデのスーツは姿を消していた。代わりに趣味の悪い、ドラ猫柄のパジャマを着せられている。

――なんで僕はここにいるんだ？

病院じゃなければ、誰かの家だ。しかしこの部屋にはまったく見覚えがない。ガールフレンドにも、ボーイフレンドにも、こんな部屋で暮らしている友達はいない。

じょじょに記憶がよみがえり始めた。

「レジーナ」の出口での撃ちあい。

まず思い出したのは、フロントグラスを蜂の巣にされて、僕めがけてスピンする車の姿だった。

車体に弾きとばされ、僕はガードレールに体を打ちつけた。見あげた目の前に、拳銃の銃口があった。

その前に。

僕は、はっとした。

親父だ。親父が現われたのだ。

親父は先に銃を抜き、「粕谷」と男に呼びかけた。そしてボディガードに撃たれ、撃ち返した。

撃ちあいになりそうなところへ、あの車がつっこんできたのだ。

そして。

道路をはさんだ両者が車を撃った。つまり、親父にとっても、「粕谷」にとっても、あの車に乗っていた連中は敵だったのだ。

車の男たちはサブマシンガンを、車内から乱射していた。狙いは「粕谷」にあった。

親父も「粕谷」を狙っていた。

あそこに親父がいた理由はひとつだ。「粕谷」を待っていたのだ。

何のために。

殺すためだ。

僕は息を吐き、ごろりと仰向《あおむ》けになった。白い天井が見えた。

プレイメイトのピンナップが貼られている。それも日本版じゃない。ノーカット、ピンボケなしの、ピンナップだ。あるべきところにあるべきものがあり、しっかりと写っている。

親父が「粕谷」を殺そうとしたのはまちがいない。

自分や誰かの身を守るためでなく、人を殺そうとした親父を見たのは初めてだった。

そこまで許せなかったのか、親父。

いったい、どうしてそれほど憎まなければならなかったんだよ、親父。

妙に悲しかった。親父が、自分から人を撃つ人間だとは思いたくなかった。

僕は目を閉じた。

あのときの光景が次々とよみがえった。

銃を抜いて構えようとした親父が、僕の声に驚き、そのすきにボディガードに撃たれた。

僕が叫んで飛びださなければ、親父は「粕谷」を殺していたろう。代わりに、撃たれることもなかったはずだ。

親父の傷は重いのだろうか。

僕は、ぱっと起きあがった。軽い羽毛布団がばさっとふたつに折れた。

ベッドから降り、板張りの床に裸足《はだし》の足をおろした。下半身にも同じ柄のパジャマを着せられている。

ドアが、ベッドの足もとの方角にあった。

とにかくここを出て、親父に連絡をとらなければならない。

僕はノブをつかんだ。ドアは音もなく、内側に開いた。

ドアの向こうにまず見えたのは、吹きぬけになった天井だった。ガラスのシャンデリアが下がっている。

つまりそこは二階で、手すりのついた廊下があり、その下に一階の広い部屋があるというわけだった。

一階は、天井の高い広間で、大きな窓が四方にあり、すわり心地のよさそうなソファが円型に配置され、クッションもその周囲におかれている。

花を活《い》けたガラスの大きな花瓶が籐《とう》製のテーブルの中央にあり、レースのテーブルセンターの表面をおおっている。

家の中は明るく、きれいで、まるで住宅展示場にあるモデルルームのように片付いていた。

僕は右を見た。

廊下は右奥でつきあたりになっていて、僕がいるのは、奥から二番目の部屋だった。

手前にもう一枚のドアがある。

奥にもドアがあるが、それはバスルームのようだった。

左を見た。

一階から二階に登る階段があり、その手前にもう一枚のドアがあった。

階段を、エプロンをつけた女の人が登ってくるところだった。

女の人が顔をあげた。

「あら……」

四十代の初めくらいで、その年なりにきれいな人だった。ピンクのカーディガンに白いフレアスカートを着け、スカートの前にエプロンをかけている。髪は短く、化粧は、薄く口紅をひいたくらいだ。

「どうも」

僕はぺこりと頭をさげた。

「目が覚めたのね」

女の人はいった。

「ええ。なんだか死ぬほど寝たみたいです」

「そうよ。目が溶けちゃうんじゃないかと思うくらい」

女の人は笑って、僕をにらんでみせた。

「ご迷惑をおかけしたのでなければいいんですが……」

「何いっているのよ。たまの日曜日だから、起こさないでといったのは隆ちゃんでしょ」

「は？」

日曜日。

僕が「レジーナ」へ出かけたのは月曜日だった。まちがいない。日曜日のあとの月曜日だから朝がつらかったのだ。授業の内容も覚えている。

「今日は日曜日ですか？」

「そうよ。おかしいわね、熱でもあるんじゃないの」

女の人は笑みを大きくしていった。

すると六日間も眠りつづけていたことになる。

「でも目が覚めたのなら、洋服を着なさい。ガレージの整理をしておかないと、お父さんに叱られるわよ」

「は……」

僕は何と答えていいかわからず、女の人を見つめた。

「ガレージ？」

「そうよ。きのう晩御飯のあと、約束したじゃない。バイクの部品、片付けるって」

「誰と？」

「馬鹿なこといわないの。お父さんに決まってるでしょう。お母さんだって、ちゃんと聞いたわよ」

「…………」

もう言葉が出なかった。笑いたいような、叫びたいような、何ともいえず奇妙な気分になった。

僕はぐるりと目玉を回して、もう一度、家の中を見回した。まちがいない。まるきり見覚えのない家だった。

「お母さんて……僕のお母さんですか」

「怒るわよ、実の親を前にして」

女の人は両手を腰にあて、僕を見あげた。

「ま、待って下さい。人ちがい、みたいですよ。僕は、冴木、冴木隆といいます。都立K高校の三年で……」

「もう……」

女の人は舌打ちした。

「何いっているのよ。あなたが冴木隆なのは決まってるでしょう。冴木涼介と、あたし、冴木みずえの間の息子なんだから。それに何が都立高校よ。ここをどこだと思ってるの」

「どこですか」

「馬鹿ばかしい、まじめに答える気にもなれないわ。早く着がえて、顔でも洗ってらっしゃい。いずみも帰ってくるわよ」

「いずみ？」

「妹の名も忘れたの⁉」

女の人は地団駄踏むようにいって、くるりと踵《きびす》を返し、階段を降りていった。

僕はゆっくりと部屋の中にひき返した。どすんとベッドに腰をおろす。

何かがえらくまちがっている。

女の人の言葉を信じるなら、ここは僕の家で、あの人は僕の母親で、僕には妹がいる、ということになる。

僕には母親はいない。まして妹などいるわけがない。

僕が住んでいるのは、広尾のサンタテレサアパートメントだ。

僕は立ちあがり、机に近づいた。並んでいる本は、確かに高校三年の教科書であり、参考書だった。それも結構、使われている。

椅子にかけられたナップザックを手にとった。赤い布と革のパッチがついている。うすよごれ、いかにも毎日使われている、といった感じだ。

ナップザックの中にある、固くて四角いものが指先に触れた。

ナップザックの口から、それをひっぱりだした。クロスの定期入れだった。開いた。

学生証があった。

「高等部三年、冴木隆」

僕の写真が貼られ、スタンプが押されている。

僕は呆然《ぼうぜん》とそれを見つめた。

こんな馬鹿な。

高等部、とあるだけで、学校の名は、どこにも記されていない。

住所は――?

僕は目を疑った。あるべき、学校の住所は、名とともに、どこにもなかった。

「冴木隆　五区画七番地」

どこの区であるか、いやどこの県、どこの都市であるかすら、記されていない。

少なくとも日本の都市でこんな住居表示をするところがあるとは思えなかった。

いったい、ここはどこなのだ。

瞬間、僕は、自分が異次元空間に迷いこんだのではないかと、真剣に疑った。

いくら何でも、そんなはずはない。そういう話は、ルーカスかスピルバーグの世界で充分だ。アルバイト探偵の僕には、ジャンルがちがう。

僕は定期入れの中を見た。お金が入っていれば、それによってどこの通貨か、わかるはずだ。

ほっとしたことに、そこにあったのは、確かに日本国の紙幣だった。千円札が三枚に、小銭入れに百円玉二枚と十円玉が四枚。つまり、三千二百四十円。

アルバイト探偵のリュウ君にしては、いささか乏しい金額だ。この家のリュウ君は、住居の立派さに比べ、いささか小遣いには不自由している様子。

まさか、かつがれているのではないだろうな——僕は思った。親父が、年増の女友達か何かを丸めこんで、僕に一杯食わせようとしている、とか。

それにしては手がこみすぎている。第一、きのう——六日前の出来事を考えれば、それはありえない。

落ちつけ、僕は自分にいいきかせた。

とにかく、何が起きているかはわからないが、状況をよくハアクすることだ。考えるのはそれからでも遅くない。

僕は机の引きだしを開いた。

中味は、文房具、メモ用紙、写真——写真を取りあげた。

自転車にまたがった二人の男女が写っている。どこかの森の中の道で、二人とも楽しそうに笑っている。ひとりは僕、ひとりは僕より少し年下の女の子だった。陽焼けし、髪をポニーテイルにした女の子だ。いかにも活発そうで、可愛いといえなくもない。

この家のリュウ君の恋人だろうか。あるいは、まだ見ぬ妹、いずみちゃんか。

他の机の中味は、すべてガラクタだった。何のためにとってあるかわからないような、ガラスの置き物、よくわからない布ぎれ、それに古いキャンディの缶。開けると、煙草とライターが入っている。

この家のリュウ君は、どうやら隠れて煙草を吸っておる様子。煙草の銘柄は、僕と同じマイルドセブンだった。

引きだしを閉め、今度は壁に作りつけのクローゼットを開いた。

ジーンズを中心としたワードローブが並んでいる。スーツやジャケットの類《たぐい》は一着もない。どちらかというと、お洒落《しやれ》とはいえない趣味だ。

その中から僕はやむなく、リーバイスのジーンズとヨットパーカーを選びだした。ソックスや下着の類も、クローゼットの中の小引きだしにきちんとしまわれている。サイズは、これが不思議だが、ぴったりだった。クローゼットの扉の裏側に鏡があった。

僕はおそるおそる、それをのぞいた。もし緑色で目が八つもある異星人のリュウ君が映っていたら、お手あげだ。

もっとも考えてみれば、学生証の写真も僕自身だし、鏡の中にいたのも、見慣れたリュウ君だった。

ヨットパーカーのポケットに発見した煙草をしまい、ジーンズに定期入れを押しこんだ。

とりあえず準備は整った。

僕は部屋を出ると、階段を降りた。二階の部屋の下が、ダイニングキッチンになっていて、〝お母さん〟がそこで働いている。大きな、本当に巨大な冷蔵庫があった。一家の一週間分以上の食料がおさまりそうだ。

〝お母さん〟は、ちょうどオーブンの前にかがみこんだところだった。それでも僕が降りてきた気配は感じとったらしく、後ろ向きのまま、いった。

「着がえたの？」

「一応……」

僕はダイニングにある、六人掛けのテーブルの前に腰をおろした。

「お腹、空《す》いている？」

オーブンの蓋《ふた》を開け、〝お母さん〟が手袋をした手でトレイをつかみだした。香ばしい匂いがキッチン全体にたちこめる。

その匂いをかぎ、僕は滅茶苦茶《めちゃくちゃ》、お腹が減っていることに気がついた。

「すごく」

「じゃあ、今焼いたばかりだけど、ミートパイ、食べる？」

「いただきます」

〝お母さん〟は、くるりと振り返った。苦笑を浮かべている。優しそうな笑顔だった。

「なに気どってるの。あげるけど、いずみの分は残しときなさいよ」

「はい」

焼きあがったパイに包丁を入れ、〝お母さん〟は食器棚から出した皿に盛った。

「飲み物は？」

ビール、といいかけ、僕は言葉を呑《の》みこんだ。この家のリュウ君は、ひょっとしたら禁酒党かもしれない。

「コーラがあれば……」

「あるわよ」

〝お母さん〟は缶コーラを冷蔵庫から出すと、缶を開け、パイ皿とともに、僕の前においた。

「熱いから火傷《やけど》しないでよ」

僕は頷《うなず》き、フォークでパイを取りあげた。頬ばると、あまりの熱さに悲鳴が出た。

「あっち」

「だから熱いっていったでしょう。本当にそそっかしいんだから」

あわててコーラを流しこんだ。熱いには熱かったが、味は抜群だった。

「どう？」

「おいしいです。とても」

「よかった」

〝お母さん〟は笑った。

「よく作るんですか？」

「何いってるのよ。いずみの大好物じゃない。あなただって、そんなに嫌いじゃないはずよ」

溜《た》め息が出た。

「で、いずみ……は、どこに？」

「お友達のところ、晩御飯までには帰ってくるでしょう」

「親父は⁉」

これだけはすんなり出た。

「お仕事よ。今日は遅くなるかもしれないわ」

「仕事？」

「そうよ。何を驚いてるの？」

「べ、別に……」

僕は瞬く間に、焼きあがったパイの半分を平らげていた。

「ごちそうさま」

「そんなに食べちゃって、晩御飯、入る？」

「もちろんです」

僕はいって、立ちあがった。

「どこか行くの？」

「ちょっと、腹ごなしに散歩でもと」

「いいけど、ガレージもちゃんとやっときなさいよ」

〝お母さん〟はいった。

「はい」

僕は玄関に向かった。何足か並んでいる靴の中に、どう見ても僕がはく以外なさそうな、バスケットシューズがあった。

それに足を入れた。サイズはぴったりだった。

「隆ちゃん？」

出ようとすると、〝お母さん〟がキッチンから呼びかけた。

「はい」

「暗くなるまでに帰ってきなさいよ。さもないと、命の保障はしないわよ」

「えっ⁉」

〝お母さん〟はにっこりと笑った。

「馬鹿ね、冗談よ」

2

その家の玄関を出、後ろ手にドアを閉めると（ステンドグラスが格子にはまった、洒落たドアだった）、僕はヨットパーカーに両手をつっこみ、考えこんでしまった。

目の前に広がっているのは、まるで見覚えのない景色だった。

一本の広い道の両側に、ゆったりと間隔をとって、家々が並んでいる。きちんと刈りこまれた芝生とコンクリートの舗道が、くっきりとそれらの家を隔てていた。そこにうららかな陽ざしが注いでいる。

どの家も、大きくてきれいで、まさに住宅展示場のように整っていた。ただ人が住んでいることの証《あかし》には、ガレージに駐《と》められた車や、自転車、芝生を走り回っている犬の姿などがあった。

僕はしばらくそこにつっ立ったまま、それを眺めていた。

ここが東京であるはずはない。東京だったら途方もなく高級な住宅地だ。いや、日本ですら、あるかどうか怪しい。

つまり、僕が感じたのは、その町並みがあまりにも美しく、まるでアメリカ映画に登場する地方の田舎町のようだ、ということだった。

たとえば主人公は、僕くらいのハイスクールスチューデント。学校へはスケートボードに乗って通い、ガールフレンドとのデートには、父親や兄貴の車を拝借して、町外れのドライブ・インへ。

そうして、町外れの小高い丘の上に車を止め、夜空を見あげながら、ガールフレンドのブラジャーのホックと格闘する、といった具合だ。

もちろん、映画だったら、話はそれだけでは終わらない。町中がお祭り騒ぎになる、ハロウィンか、さもなけりゃ高校創立記念日に、アイスホッケーのキーパーの面をかぶった殺人鬼がチェーンソウ片手に徘徊《はいかい》する、に決まっている。

平和で美しい田舎町が、一夜にして恐怖と流血の地獄のどん底に叩《たた》きこまれる、てなものだ。

悪役はこの際、マッドサイエンティストでも、裏山に落っこってきた宇宙からの侵略者でも、マニキュアの代わりにカミソリを爪につけた異常者でもいい。

要は、この町はあまりにも美しく、のどか過ぎるということだ。

しかも、現実感がまるでない。確かに人は住んでいるようだが、どこでどのように生計をたてているのかが、まったく感じられない。

僕は首を振った。まだ長い夢の中にいるのだろうか。ひょっとして、車に吹っとばされたおかげで、永久に目覚めない眠りに入ってしまったのかもしれない。

とにかく、動くことだ。これが夢かどうかは、つっ立っているだけでは知りようがない。

僕は、住宅街にしては広い道幅の歩道に踏みだした。

道路には街路樹が等間隔で植えられている。

そうだ。

僕はくるりと、今出てきた家を振り返った。窓を大きくとった白塗りの壁にレンガ色の屋根を持つ二階屋だった。手前に、木造のガレージがある。

車のナンバープレートを見れば、ここがどこであるかわかるはずだ。

僕はガレージの扉に近づいた。はねあげ式の扉の取っ手をつかんだ。扉もガレージも白いペンキで塗られている。

ゆっくりとひきあげた。

車二台が横に並んで駐《と》められるだけの広さがあるガレージだった。左手に工具類の詰まった棚があり、油のしみたボロやバイクの部品らしきものが床に散乱している。

二台分の空間には、車が一台だけおかれていて、その隣は空いていた。普段はそこにも車が駐められていることは、床にあるオイルの染みでわかった。

そのかたわらに半ば分解された五十ccのバイクの残骸《ざんがい》があった。

駐まっているのは、ワーゲンのゴルフ、左ハンドルだった。

僕は呆然《ぼうぜん》と、そのフロントグリルを見つめた。赤い車体には、どこといって異常は認められない。しかし、あるべきところに、あるべきもの――ナンバープレートがついていなかった。

ゴルフは、誰も乗らずにそこにうち捨てられているようには見えない。だが、廃車にでもならぬ限り、ナンバープレートなしで走れるはずはないのだ。

僕は思いついて、半ばあがったガレージの扉から、中に入りこんだ。

もし、この町のリュウ君が、バイク好きで（この僕もバイク好きだが）、自分の足となるバイクをいじり回していたのなら、この五十ccにもナンバープレートがついていなければならない。

なかった。

五十ccにもナンバープレートはついていない。

僕はゆっくりと後退《じさ》りして、ガレージを出た。音を立てぬように、そっと扉をおろす。

（大混乱）

そんな言葉が頭に浮かんだ。まるでわけがわからない。

僕は再び歩道に出ると、右を見、左を見た。

家並みは、軽いカーブを描き、つづいている。途中、何本かの道が、ほぼ直角に、家並みを縫う道と交差していた。

どちらへ行けばいいのだろうか。

（公衆電話）

公衆電話を捜すのだ。そこから、親父の事務所、さもなければ歩く国家権力、島津さんのところにかける。そうしておいて、逆探知してもらえば、僕が今、どこにいるのかわかるはずだ。

とりあえず、左、と決め、僕は歩きだした。

歩きだしてから、僕は自分が腕時計をしていないことに気づいた。

だが目覚めたのが三時だから、今は四時くらいの見当になる。

日曜日の四時、といえば、家にいる人なら庭に水を打ったり、犬を散歩に連れだしたり、バーベキューの用意をしたり……している……はずだ。

「やあ、隆ちゃん」

声に僕は顔をあげた。

まさしく、ジョウロから鉢植えに水をやっているおっさんがそこに立っていた。〝我が家〟からは二軒隣にあたる家の前庭だ。

鉢植えは、二段になった飾り台に並べられている。

おっさんは、白髪まじりの頭を七・三に分け、ギンガムチェックのシャツにジーンズのオーバーオールを着けていた。

もちろん、まったく知らない顔だ。

「こんにちは」

とりあえず、僕は答えた。

「学校の方はどうだい？」

「まあまあ、です」

「今日は親父さんは？」

「出かけている、らしいです」

いってから、僕は思った。いったい、この町の、僕の親父とは、どんな人物なのだろうか。

「そうか。涼介さんは仕事熱心だからな」

本物のリョースケさんが聞いたら、ぶっ飛ぶような言葉を、おっさんはにこやかに口にした。

「あのう……」

「何だい？」

「公衆電話って、このあたりにありますか？」

「公衆電話？」

おっさんは、ジョウロの手を休めた。考えるような顔つきになった。

「ないな……。家にかけるのかい？」

思わず、そう、と答えそうになったのを呑《の》みこみ、僕は首を振った。

「いえ。ちょっと遠距離なんです」

「家のは壊れちゃったの？」

「そういうわけじゃ……」

「じゃあ、家からかけたら」

僕はおっさんの屈託のない顔を見つめた。

ここはどこですか、と訊《たず》ねたら、何と答えるだろうか。

ここは白鳥座十番星、なんとか連邦、かんとかシティ何番地です、なんて……。

だが、おっさんは僕のことを知っている。それも、この町の、冴木隆として。

「……そうだ、今日は何日でしたっけ」

僕はいってみた。

「今日？　えーと、十四日、かな」

まちがいない。確かに六日たっている。

「どうもありがとうございました」

僕は頭をさげ、そのまま歩きだそうとした。するとおっさんがいった。

「そうだ、隆ちゃん……」

「はい」

「今日は暗くなる前に帰った方がいいよ」

〝お母さん〟と同じせりふだった。

「え？」

「暗くなる前に帰った方がいい」

おっさんはジョウロを振って、同じ言葉をくり返した。

「どうしてです？」

「ほら、このところ物騒だから」

「ブッソウ?」

「例の殺人鬼。今夜あたり、ここいらに現われるかもしれない」

殺人鬼!

僕は目を瞠《みひら》いて、おっさんを見つめた。

「この一週間で、またふたり殺されたからね……」

おっさんはいって、首をすくめた。

「親父さんがいない間、家族の面倒は、男の子の隆ちゃんが見なくちゃ」

ナンダ、ソレハ。ソレデハ、マルデ、映画ソノママデハナイカ。

「ど、どこで殺されたんです?」

「家さ。皆《み》んな家にいるところを殺されたんだ。一家皆殺しだよ。大人も子供も。ひどいものさ」

おっさんは顔をしかめた。

「警察は?」

「警察? ああ、保安部のことだね。一生懸命やっているようだが、駄目だね。犯人は外からやってきたのかもしれん」

「外?」

僕がいうと、一瞬、おっさんは無表情になった。

「とにかく気をつけなさい。お母さんといずみちゃんを守ってあげるのは、隆ちゃんの役目だからね」

「待って下さい。外っていうのは、この町の外、という意味ですか」

おっさんは、曖昧《あいまい》に首を振った。ジョウロに残った水を手早く鉢植えに注いだ。

「外へは、どうやって出るんです?」

おっさんはまるで聞こえないふりをしていた。ジョウロが空になると、

「さて」

呟《つぶや》いて、自分の家の方角を振り返った。

「すいません」

僕は声をかけた。が、突然、おっさんには僕の姿が見えなくなってしまったかのようだった。

「晩飯の仕度でも手伝うか……」

おっさんは自分にいい聞かせるようにいって、家の方へ歩きだした。

残された僕は、その後ろ姿を見送った。

もう、すわりこみそう。

いったい全体、僕の身に何が起きたのだ。ここはどこで、なぜ僕はここにいるのだ。

そうなのだ、僕はまさしくあの状況の中にいた。

ココハドコ、僕は誰。

おっさんが緑色に塗られた瀟洒《しょうしゃ》な家の中に消えてしまうと、僕はゆっくり歩道の端に腰をおろした。

ポケットから煙草とライターを取りだした。火をつけ、煙を吸いこむ。

もし御近所の誰かにその姿を見とがめられ、

「まあ、あの品行方正なはずの冴木さんの坊っちゃんが……」

と、告げ口されてもかまわなかった。

久しぶりのニコチンは、手足の先を痺《しび》れさせ、頭をくらくら回した。

「夢じゃないよな」

僕は呟いた。まさか頰をつねりはしないが、これが夢ではないという確信はあった。

では現実だとすると、僕の身に何が起きたのだろう。

誰かが、失神している僕をここに運んだのだ。

そして、この町の冴木隆と入れかえた。

だが、そんなことってあるだろうか。

名前も同じ、顔も年も背格好も、まるで同じ人間がこの世にいる。しかもこちら側にはいない、母親や妹までがワンセットになっているなんて。

考えられない。

僕は首を振った。

だとすると、皆が僕をだましているのだ。

何のために？

わからなかった。

短くなった煙草を踏み消し、僕はよろよろと立ちあがった。

とにかく、データが不足している。この町について、もっと情報を集めるのだ。

あのおっさんは、「保安部」という言葉を口にした。

車にナンバープレートがついていないことといい、警察ではなく「保安部」という名称といい、ここが日本の普通の町ではないことは確かだった。

この町がどれくらいの大きさで、どんな仕組みなのかをまず確かめるのだ。

僕は深呼吸し、早足で歩き始めた。

どこかに町の終わりがあるはずだ。あるいは、家ではなく、お店や公共施設のような、手がかりになる建物が。

歩き回っていれば、見つかるに違いない。

それから僕は、しばらく、町の中を歩き回った。

それによって発見したのは、最初に歩きだしたこの道には終わりがない、ということだった。つまり、ゆるやかなカーブをずっとつないでいくと、ひとつの円になる。どんどん歩いていると、いつか元の場所に戻ってきてしまうのだ。

そして少なくとも、この道沿いには、普通の民家の他は何もない。

家々は、それぞれ広く敷地をとり、ゆったりと建てられている。

人間の姿を見かけたのは、あのおっさんをのぞけば数軒だった。中には、空き家ではないかと思うほど、生活の気配の感じられない家もあった。整ってはいるが、どこかよそよそしいのだ。

僕に声をかけてきたのは、あのおっさんが最初で最後だった。見かけた人間の中には、日本人ではない者も含まれていた。

ある家では、庭先でバーベキューが開かれていた。見たこともないほど大きな犬と、双子らしい金髪の女の子たち（七歳くらい）、それに同じく金髪の母親に、赤い髪をした父親。一家すべてが白人だった。彼らは声高に英語の会話を交わしていたが、僕の姿に気づいても、別段、興味を惹《ひ》かれた様子はなかった。

歩いている途中、数台の走っている車を見かけた。それらの車はすべて、僕が歩いている道と交差した、縦の道を走っていた。スピードは決して速くない。時速三十から四十キロといったところだ。そこから判断しても、そう広い町ではないことはわかった。

町は平らで、ほとんど起伏がなかった。だが、どの方角を見ても、彼方《かなた》の景色を見渡すことはできなかった。建物と建物が微妙にずれあっており、数百メートルを越える視界を、地表からはさえぎっているのだ。

ただわずかに一ヵ所だけ、建物がまるで建っていない区画があり、そこから円の外を見ると、かすかに、黒い森のようなものが遠くにあった。

見かけた車には、すべてナンバープレートがなかった。

公衆電話はもちろん、ポスト、広告、ポスター、とにかく公共物といえるものは、電柱すら立っていない。

宵闇が迫っていた。

僕は途方に暮れて立ち止まった。さしものリュウ君も、この状況ばかりは、ちょっとお手あげだった。

あとは〝家〟の電話を使ってみる他、ない。

暗くなると、通りに面した家々に明かりが点《とも》り始めた。一階と二階、すべての窓に光が点る家もあれば、一階だけの家、まるで光の点らない家もあった。

ざっと見渡しただけでも数十軒の家が建ち、生活を示す明かりを、庭の芝生や街路に投げかけている。

ここにはマンションもアパートもなかった。判で押したように建物は一戸建てで、そこで何人が暮らしているかは知らないが、最初からそうあるべき町として作られたように、整然と並んでいる。

そこは、〝家〟からは、時間にして三十分ほど離れた場所だった。通りがゆるやかな円を描いていることを知った僕は、この同心円状の町の中心部へと縦の道を辿《たど》っていたのだ。

道に迷う恐れはなかった。実にわかりやすい形を、この町はしていたのだ。

町の中心方向に、僕は目を向けていた。

中心部には、〝家〟ではない、何かがあるはずだ。商店か、レストランか、公共の施設が。

背後から車のエンジン音が聞こえた。

僕は振り返った。一台の黒塗りの車が低速で近づいてくるのが見えた。車は四輪駆動のランドクルーザーだった。

ランドクルーザーは僕の数メートル手前で停止した。

突然ライトがハイビームに変わり、僕の姿は皓々《こうこう》とした光に照らしだされた。新たな光がそれに加わり、僕はまぶしさに手をかざした。ランドクルーザーの屋根にはスポットライトが装着されていて、それが点灯したのだった。エンジン音が耳をついた。

「そこを動くな」

スピーカーで増幅された声がいった。その調子は切羽詰まっており、反すれば射殺も辞さないと警告しているようにも聞こえた。

僕は動かなかった。

逆光になったランドクルーザーからドアが開く音が聞こえた。ついで、車を降り立った人物が光の中に進み出た。口の中がさっと乾いた。

M16ライフルが僕の胸を狙っていた。

3

ライフルを構えた人物の顔は、はっきりとは見えなかった。ヘルメットをかぶり、ごつい戦闘服のようなものを着けている。

「両手を見えるところにおいておけ」

ヘルメットの内側から、くぐもった声が聞こえた。

僕は額の上に手をかざしたまま動かなかった。この平和な町に殺人鬼がいるとしても、彼ではないはずだ。

殺人鬼が、

「動くな」

といってから、撃つはずはない。

多分。

戦闘服の男は、僕の手が届かない、ぎりぎりのところに来て立ち止まった。ライフルはしっかりと僕の胸を狙っている。

「それ、本物？」

我ながら、間のぬけた質問だった。

「名前は？」

戦闘服の男は僕の言葉にはとりあわず、いった。

「いわなきゃ撃つ？」

僕はヘルメットの内側をすかして見て訊《き》いた。返事はなかった。ただ、男の肩に一瞬、力がこもったように見えた。

「冴木隆」

僕は急いでいった。冗談ごとでなく、男は本気で撃つように見えた。

「身分証を出せ」

身分証——と訊き返しかけ、僕はジーンズのヒップポケットに入れた定期入れを思い出した。手をのばすと、

「ゆっくりとだ！」

鋭い声で男は命じた。

とりあえず、その言葉に従った。定期入れを指先でつまむと、男の方にさしだした。

男はようやく、銃を肩からおろした。定期入れを左手で受けとり、開いた。

学生証と僕の顔を見比べ、いった。

「何をしていた」

「何をって……散歩」

「夜間外出禁止令を知らんのか」

「……お化けが出る？」

「貴様、ふざけたことをいってると――」

男の声が怒りを帯びた。すると背後から、もうひとりの声がいった。

「おい、その男の名前は何だ?」

「高等部三年、冴木隆」

男は振り返りもせず怒鳴り返した。僕はその姿を見つめ、腰にも拳銃《けんじゅう》のベルトを吊《つ》るしていることに気づいた。本物の兵士のようだ。

どこの国のかは知らないが。

しばらく間があいた。やがて、車の方のもうひとりがいった。

「その男は、ルーキーだ」

「ルーキーだ。自宅へ連行しよう」

「ルーキーだと。本部は何を考えてるんだ、こんなときに」

男は吐きだした。

「ルーキーって何です?」

「いいから来い!」

男の手がのび、僕の右腕をつかんだ。

「家まで送ってやろう。うろうろしていると、ロクなことはないぞ」

僕は息を吐いて、ひきずられるまま、ランドクルーザーまで連行された。何がルーキーだかはわからないが、ここは逆らわない方がいい。

ランドクルーザーのかたわらまで来ると、男は車内の相棒に訊《たず》ねた。

「いつ通達が来たんだ」

同じような格好の相棒は、ランドクルーザーの助手席にとりつけられた、小型のテレビに見入っていた。コンピュータの端末に似たキイボードがその横からつきだしている。

「今日だ」

カシャカシャとそのキイボードを指先で叩《たた》いて、相棒はいった。その動作で、僕がのぞきこむ間もなく、スクリーンは消えた。

「しようがないな。乗れ！」

僕をひきずってきた男は、後部席のドアを開いていった。

「歩いて帰れますけど……」

男は横に向き直った。ヘルメットのフェイスプレートの下に、浅黒い顔と冷ややかな目があった。

「乗るか、死ぬか、だ」

本気のようだ。

「ランクルって、前から乗ってみたいなって思っていたんです」

僕はさっさと後部席に乗りこんだ。前部席との間には、丈夫な金網のスクリーンが張りわたされている。こちら側のドアには、ノブがなかった。

「行こう」

男は運転席に乗りこみ、ドアを閉じた。

ランドクルーザーはゆっくりと発進した。

「あの……保安部——の人たちですか、おじさんたちは？」

走りだすと、僕は訊ねた。

どちらからも返事はなかった。肯定と受けとった僕はつづけた。

「保安部の本部って、どこにあるんです？」

返事はなし。

「何人くらい、おじさんたちみたいな人がいるんです？」

これも返事はなかった。僕はやけになって訊ねた。

「大きくなって、保安部に入りたいときは、どうすればいいんですか!?」

「…………」

「保安部って給料、いいのかな？」

「…………」

「保安部に入ったら、皆《みん》な銃をもらえるのかな？」

「…………」

「煙草吸ってるの、バレたら保安部に入れない？」

ランドクルーザーは急停止した。勢いで、金網に顔をつっこみそうになるリュウ君。

運転席の男が降り立つと、後部席のドアを開いた。

「降りろ」

僕は助手席の男の顔を見た。まったくの無表情。

ドアを押さえている男を見た。やはり、まったく表情を浮かべていない。

「降りるか、死ぬか?」

僕はいってみた。返事なし。

仕方なく降りた。そこは、僕の〝家〟の前だった。

男はひと言もいわず、運転席に乗りこんだ。説教も忠告もなしだった。もちろん、銃をつきつけ、リュウ君の心臓を半分に縮みあがらせたことに対するお詫《わ》びの言葉もなし。

ランドクルーザーは、僕に排気ガスを浴びせかけ、走り去った。

赤い尾灯が見えなくなると、僕は〝家〟を振り返った。

素敵な家だ。確かに。

大きな四角い窓からは、暖かそうな光が洩《も》れている。明るくて清潔、マイホーム主義者が理想とする家庭がここにある。

ここだけではない。町中のあちこちに、色や形、大きさはちがっても、そうした家があった。

僕は目を閉じた。

ここでこのまま、この町の冴木隆として暮らしていくのはどんな気分だろう。

優しい〝お母さん〟と可愛い〝妹〟、そして働き者の親父(!)に囲まれて。

目を開いた。

家はそこにそのままあった。幻想ではない。おいしそうな夕食の匂いすら、かすかに漂ってくる。

僕はゆっくりと花壇で囲まれた玄関に歩みよった。

「ただいま」

ドアを開け、いった。妙な気分だった。

「おかえり」

〝お母さん〟がダイニングテーブルに料理の皿を並べていた。

僕はリビングルームの中央まで歩くと、ソファに腰をおろした。室内を見回す。

電話は二台あった。一台は、僕がすわっているソファの、すぐかたわらにあるコーナーテーブルの上。もう一台は、ダイニングキッチンの壁にかけられている。

「いずみは帰ってて、今、シャワーを浴びてるわ」

〝お母さん〟は手を休めず、いった。

「あなたも食事の前に浴びる？」

「いや、いいです」

「寝る前にする？」

「多分……」

僕はかたわらの電話機を見つめていった。

「晩御飯だけど、肉団子とサラダでいい」

僕は電話に手をのばした。細長い形をしていて、受話器にボタンがついているタイプだ。

〝お母さん〟はいって、僕に背中を向けた。キッチンに入っていく。

「じゃあ、いずみがシャワーを出たら、始めましょ」

食欲はさほどなかった。

「充分です」

受話器を取りあげ、ボタンを押した。まず、〇三を押し、事務所の番号をつづけた。

〝お母さん〟は、まだこちらに背を向けていた。

番号を押し終わった僕は受話器を耳に押しあてた。動悸《どうき》が速まっていた。

回線の向こうは静かだった。何の音もしない。しばらく耳に押しあてていると、ツー、

ツー、という話し中の音が流れた。

僕はスイッチを切り、再度、ボタンを押し直した。

結果は同じだった。受話器の中をしばらく空音状態がつづき、話し中の音が流れる。

今度は、島津さんのオフィスの番号を押した。そこは二十四時間態勢で、しかも話し

中はない。

これも同じ結果だった。

僕は受話器を戻した。結論が出た。ここは日本ではない。少なくとも、日本の電話回

線が使用できる区域ではないのだ。

目をあげると、正面にテレビがあった。日本のメーカーの大型テレビだ。ビデオデッキもケースの中に入っている。

テレビをつけてみれば、何かわかるかもしれない。僕は腰を浮かした。

そのとき、

「お兄ちゃん！」

声がして、僕は頭上を仰いだ。

Tシャツにヨットパーカーをつけ、ジーンズをはいた女の子がタオルで髪をこすりながら、二階の廊下からこちらを見おろしていた。

写真の女の子だった。年は僕とさほど変わらないくらいで、写真よりずっと可愛かった。健康的な陽焼けした肌がなめらかで、通った鼻すじの先が、子犬のように、ちょっと上を向いている。

「帰ってたの」

黙っていた僕に、女の子はいった。

「う、うん」

「シャワー浴びる？」

女の子は、〝お母さん〟とまったく同じことを訊《たず》ねた。頭がくらくらした。まるで、本当の家族のような会話だ。

僕は彼女を見つめた。くりくりした大きな目で、僕を見かえしてくる。本当に可愛い。

可愛いが、僕と似ているところがあるとは、思えなかった。

「どうしたの？」

女の子は、タオルで髪の水気をふきとりつづけながらいった。

「いや……別に」

僕はいった。

「変なお兄ちゃん」

女の子はいって、くるりと踵《きびす》を返した。そのまま出てきたとおぼしい、二階のつきあたりのバスルームへと戻ろうとする。

「いずみ！　早く降りてきなさい。御飯よ！」

〝お母さん〟が、キッチンから頭上を見あげ、叫んだ。

「はーい」

僕はそのすきにテレビに近づいた。スイッチを入れる。チャンネルは「1」にあっていた。東京なら国営放送のチャンネルだ。

ザーッという音を立てて、何も映っていない画面が現われた。僕はチャンネルボタンに触れた。次々とチャンネルは切りかわったが、何かの映っている画面はひとつもなかった。

「隆ちゃん、何してるの？　ビデオなら御飯のあとにしなさい」

〝お母さん〟がいった。

「いや、何か、やってないかな、と思って……」

僕は口ごもった。

「変な子ね。やってるわけ、ないでしょ」

「だってまだ夜の六時だし……」

「どうしちゃったの、隆ちゃん。そのテレビはビデオをセットしなけりゃ、何も映らないわよ」

「……ニュースも？」

「あたり前じゃない。早くテーブルにつきなさい」

僕はスイッチを切り、のろのろとテレビを離れた。

〝妹〟のいずみが、鼻歌をうたいながら、階段をかろやかに降りてきた。

「お兄ちゃん、何時頃起きたの、今日」

「……三時頃、かな」

〝お母さん〟は、肉団子とサラダをそれぞれ盛った大きなボウルをテーブルの中央にのせた。ついで、御飯と味噌《みそ》汁をよそった椀《わん》を並べた。三人分だった。テーブルの上には、ふたつの料理の他にも、野菜の煮つけや漬物などが並んでいる。

僕が〝お母さん〟の向かいにすわろうとすると、いずみがいった。

「いやだ、そっちはわたしの席でしょ、とらないで」

僕は隣に移った。

「大丈夫？　隆ちゃん。起きてからずっと、ぼうっとしてるみたいだけど、熱でもあるんじゃないの？」

〝お母さん〟が心配そうにいった。僕は無言で首を振った。

「さ、食べましょう。さっき電話があって、お父さんは今日帰れないらしいわ」

〝お母さん〟はいって、箸《はし》を手にとった。

僕は自分の前におかれた箸を見つめた。南天の白い箸だった。新品には見えないが、よごれてきたない、というわけでもない。要するに、普段、いつも使われている、といった感じだった。

「あの……」

僕は仕方なく料理に手をつけ、いった。

「お父さんの仕事は何ですか？」

いずみがきゃはは、と笑いだした。〝お母さん〟もあきれたように僕を見た。

「何いってるの、お兄ちゃん」

「そうよ、どうしたの？　隆ちゃん」

「いや、マジで。お父さんの仕事って、何です？」

「馬鹿なこといわないの」

「私立探偵、ですか？」

「はあ？」

　いずみが素《す》っ頓狂《とんきょう》な声を出して、僕を見た。

「ビデオの見過ぎじゃないの？　なんでお父さんが私立探偵なのよ」

「だって、冴木インヴェスティゲイションは……」

「冴木インポートでしょう」

　〝お母さん〟がいった。

「冴木インポート？」

「お父さんの会社。お父さんの会社は貿易をやっているのよ」

「どこと？」

「いろんな国よ。世界中の」

「たとえば？」

　僕は食いさがった。

「アメリカや、ソ連や、いろいろなところよ」

「ずっと？」

「ええ。もちろんよ」

　僕は食事を見おろした。おいしかった。本物の〝家庭料理〟だ。

「大丈夫？　お兄ちゃん」

　いずみがぱくぱくと食べながら、僕を見つめた。

「今日は何年、何日だい？」

いずみが答えた。

「いいから、今日の日付」

いずみは、〝お母さん〟と顔を見あわせた。〝お母さん〟が頷《うなず》いた。

まちがいなく、あの日から六日後の日付だった。西暦で。

「何いってるの？」

「ここはどこだい？」

「ここって？」

「だからこの町。どこの国の何という町だい？」

「やだ、いい加減にしてよ」

「ここは僕の町じゃないんだ」

「何いってるの？」

「だから、ここは僕の知っている町じゃないんだ。僕の名前は冴木隆だけど、ここは僕の家じゃない。僕の家は、日本の東京都、渋谷区、広尾にある、サンタテレサアパートだよ。僕が通ってるのは、都立K高校。僕はそこの三年で、家族は親父がひとりだけ。親父の仕事は――それが仕事と呼べるかどうかわからないけど――『冴木インヴェスティゲイション』という、私立探偵事務所の所長。サンタテレサアパートには、『麻呂宇』という喫茶店があって、そこには、圭子さんというママ、星野さんていう、ドラキュラそっくりのチーフがいるんだ。それに他にも、女子大生で僕の家庭教師の麻里さんや、J学園のスケ番で、ガールフレンドの康子《やすこ》っていう仲間がいる。だから、ここは僕の住む町じゃない」

一度喋《しゃべ》りだすと止まらなかった。僕は一息に喋った。

〝お母さん〟といずみは、無言で僕の顔を見つめていた。

僕が喋り終わっても、どちらもしばらく、口をきかなかった。啞然《あぜん》、という表情で僕を見つめている。

そして、突然笑い始めた。猛烈な勢いで笑い始めた。いずみなど、味噌汁の椀をひっくりかえしそうになった程だ。

「やめてよ！　お兄ちゃん！」

「そうよ、隆ちゃん。まったく、あんまり真剣なんで、びっくりしたじゃない……」

今度は僕が啞然として、ふたりを見つめる番だった。ふたりは、まるきり僕の話を信じていなかった。

「それ、いったい何なの？　学校祭のお芝居？」

「学校祭？」

「そうよ。明日《あした》から、その準備で休みじゃない、一週間」

「学校が？」

いずみはこっくりと頷いた。

「学校て、どこにあるの？」

「また始まった……」

いずみは〝お母さん〟と顔を見あわせた。

「面白くないよ、その冗談。しつこいと」

「本気なんだ。ここは東京じゃないよね」

「ちがうに決まってるでしょう」

〝お母さん〟はいった。

「じゃあ、どこです？」

いずみが大げさに溜《た》め息をつき、横目で僕を見た。

「学校で習わなかったの？　お兄ちゃん」

「だから、僕はここの人間じゃない」

「でもお兄ちゃんは、お兄ちゃんでしょ」

「食べなさい、隆ちゃん」

〝お母さん〟が促した。

何てことだ。ふたりとも、まるきり僕の話にとりあおうとしない。

僕は戦法を変えた。

「さっき散歩していたとき、危うく撃たれそうになった」

〝お母さん〟がさっと僕を見た。

「誰に？」

「戦闘服を着て銃を持った連中。僕のことをルーキーだといった」

「何なの、それ」

いずみがぽかんと口を開けた。

「僕だって知りたい。ルーキーってどういう意味です？」

「さあ……。お母さんも知らないわ」

「あいつらは何です？」

「保安部じゃない？　きっとこのところひどい事件がつづいてるから、警戒してたのよ」

「夜間外出禁止だって、いった」

「そうよ。保安部が出した通達なの。連続殺人の犯人がつかまるまで……」

「でも、そんなことは聞いていない――」

「だからさっき、暗くなるまでに帰ってきなさいっていったでしょ」

〝お母さん〟は真顔になっていった。

「聞かせて下さい。僕は本当に、ここの子なんですか⁉」

「そうよ。あなたは、私とお父さんの子。妹がこのいずみよ」

「何てこった……」

僕は天井を仰いだ。

「食べないの、お兄ちゃん。食べないと、わたしが食べちゃうよ」

いずみが箸《はし》をのばした。

「いずみ……」

「いいよ。あげる」

僕は力なくいった。食欲はさっぱり失《う》せていた。代わりに、大声で叫びだしたかった。

「具合が悪いんでしょう、やっぱり」

〝お母さん〟がいった。

「そうみたいです」

実際、たったあれだけ歩き回ったにすぎないのに、僕はひどく疲れた気分だった。

体力が失われているようだ。まるで、長い病気からようやく回復したばかりの半病人だった。

「上に行って寝たら？」

いずみがいった。

僕は頷き、のろのろと立ちあがった。

「御飯おいしかったです。なのに、残しちゃって、すいませんでした」

ふたりとも驚いたように僕を見つめていた。

僕はテーブルを離れ、二階にあがる階段をゆっくり登っていった。

4

しばらく眠った。

ベッドに洋服を着けたまま横たわったところまでは覚えている。ショックと疲れが重なり、僕はくたくただった。

そしてあっというまに眠りに落ちたのだ。

途中、誰かが寝室をのぞいたようだった。細い光がドアのすきまからさしこみ、まぶしくて、寝がえりをうったような気がする。それと、ひそひそと交わされる話し声も聞いた。

目が覚めたとき、あたりはまっ暗だった。

僕はこわばっている体を起こし、枕もとの時計を見た。

午前一時を少し回った時刻だった。

ベッドから両足をおろし、頭を抱えた。ぼんやりとしてはいたが、この悪夢のような状況が変わっていないことはわかった。

いったい何が起きたのだ。

僕は深呼吸すると、ポケットで潰《つぶ》れていた煙草を取りだした。

火をつけ、ゆっくりと煙を吸いこんだ。立ちあがり、窓辺に歩みよった。

カーテンを開くと、整然とした街路が見えた。どの家も窓は暗い。

この町は、東京とちがい、健康的な生活を営む人々ばかりが暮らしているようだ。

しばらく煙草を吸いながら窓辺に佇《たたず》んでいた。

夜空は晴れていた。まぶしいほどの月と星の明かりのせいで、家々の様子が昼間のように見てとれる。こんなことは、東京ではありえない。

見える範囲に、動くものの姿はなかった。人々は寝静まり、犬や猫すらそれにつきあっているようだ。深夜放送を聞いて夜更かしする受験生も、酔っぱらってこわごわ帰宅するサラリーマンも、止めた車の中でせっせと女の子を口説くナンパ学生も、この町にはいなかった。

息をひそめ、ただひたすら朝の訪れを待っているかのようだ。

走っている車すら見かけなかった。

夜間外出禁止令のせいだろうか。

僕は勉強机の椅子をひくと、それにすわり、頬杖《ほおづえ》をついた。

この町は美しい。だが、どこか変だった。何が変かは、うまくいい表わせない。ただ何となく、あまりに人間くささがなさすぎる。

真夜中を過ぎているとはいえ、一軒くらい明かりのついている家があってもいいはずだ。動き回る人や車の姿が見えておかしくないはずだ。なのに、それがまったくない。笑い声も叫び声も、赤ん坊の泣き声もしない。町ならば、それがあるはずだ。たくさんの人が生き、そこで暮らしていれば、なければおかしいのだ。

まるで人工の町だ。

僕は思った。そして気がついた。

その通りだ。この町は映画のセットのような作り物なのだ。誰が、いったい、何のためにこしらえたのかは知らないが、この町は初めから人工の町として作られたにちがいない。ここにある暮らしは、本当の暮らしではない。巧妙なお芝居なのだ。

再び頭がくらくらした。

自分がどうしてそんなことを考えるのか、わからなかった。ここが自分の町ではないからそう思うのか。証拠は何ひとつない。

ひょっとしたら――。

恐ろしい考えが頭をもたげた。

東京の冴木隆というのがすべて幻想で、僕は、本当はこの町の住人なのかもしれない。頭を打ったか何かした、ひどいショックで、ありもしない「冴木インヴェスティゲイション」や広尾のアパートのことを、夢ではなく現実だと錯覚しているのではないだろうか。

胸の鼓動が速まり、口の中が乾いた。僕は懸命に、この町の僕のことを思い出そうとしてみた。

貿易会社を経営する親父、優しくてきれいなお母さん、生意気だけど可愛い妹。

家族の思い出。この町で育った記憶。兄妹《きょうだい》げんかや、いたずらして叱られたこと。クラスメイトの顔……。

ちがう、絶対にちがう。僕はこの町の住人じゃない。思い出すのは皆、サンタテレサアパートやそれ以前の日々だ。母親の顔を僕は知らない。親父の調査を手伝って、おっかない目にあったこと、王女ミオとの出会い、康子や麻里さんとのデート、皆、はっきりと覚えている。あれは決して、空想じゃない。本当にあったことだ。

僕は、誰かの手でここに運ばれてきたのだ。

すると結論はひとつだ。皆《み》んなが僕をかついでいるのだ。

僕をこの町の住人だと思いこませようとしている。

〝お母さん〟も、いずみも、皆、グルなのだ。

証拠は？

「外」――そうだ、外という言葉が手がかりになる。

僕は二軒先の家の庭先にある鉢植えを見つめながら思った。水をやりながら、あのおっさんがふと口をすべらせた言葉だ。外とこの町の関係を知ることが、今、僕のおかれている立場の謎を解く鍵《かぎ》になるはずだ。

そしてもうひとつのキイワード。

「ルーキー」

ルーキーとは新人の意味だ。とすれば、あの兵士たちの会話は、僕がこの町の新人であることを意味していたのだ。

僕は兵士の言葉を思い出そうとした。

——ルーキーだと。本部は何を考えてるんだ、こんなときに。

こんなときとは何だ。いや、それ以前に、本部とは何を意味するのか。

「ルーキー」、「本部」、ふたつとも、この町の仕組みに関わる言葉にちがいない。

「こんなとき」とは。

殺人鬼のことだろうか。殺人鬼の出現が、この町に、ある種の危機をもたらしているのか。

あの、ものものしいいでたちは、そのためなのだろうか。M16と拳銃《けんじゅう》で武装した姿は、警官というよりは兵士だ。この静かで小さな町には、いかにもそぐわない。

僕は立ちあがった。

もう一度、この町のことをよく調べてみるべきだった。この町の外側はどうなっているのか。中心部には、何があるのか。

兵士たちは、まだ町の中を巡回しているのだろうか。

だが、僕が目覚めて以来、一度も窓の下には動くものの気配がなかった。

もし巡回をつづけていたとしても、今度はうまくやり過ごすことができるだろう。

僕はそっと部屋のドアを開けた。

家の中はまっ暗だった。〝お母さん〟もいずみも、寝てしまったようだ。

僕は音を立てぬように階段を降り、玄関に歩みよった。静かにドアのロックを外す。

外へ出ると、思った以上に夜気は冷えていた。僕はワードローブから、ヨットパーカーより厚い上着を持ってこなかったことを後悔した。

どちらに向かおうか。

まず外だ。この町の外側がどうなっているかを確かめるのだ。

僕は一歩一歩慎重に、しかしできるだけ早く歩きだした。同心円状のこの町の、外に向かってのびる縦の道を目ざした。

歩きながらも、昼間、見落としたものはないか、あたりに気を配った。

頭上には、真円に近い満月が輝いていた。街灯などなくても、足もとに不安はない。

縦の道をカーブの外側に向けて歩きだし、しばらくたったとき、頬に風を感じた。

僕はヨットパーカーのポケットから目覚まし時計を取りだした。腕時計が見つからなかったので、やむなくそれをポケットに押しこんできたのだ。

家を出てから四十分ほどたっていた。

風は湿っていて、どこか潮の香りを含んでいた。海が近いのだろうか。

まだ道の彼方《かなた》には何も見えなかった。縦の道は直線ではなく、一定のブロックを進むと、横の道にぶつかり、クランクのように、少しずつずれて外側へのびているのだ。

家を出て一時間二十分が過ぎた。直線にしても三キロ近くは離れているはずだ。

だんだんと家の数が少なくなってきているような気がした。

横の道は、およそ三百メートルほど進むと縦の道にぶつかる。そして百メートルばかり縦の道を進むと、再び横の道とのT字路があるという寸法だ。

空の上から見ると、この町はまるで巨大な迷路のような形をしているにちがいない。行き止まりこそないが、決してどこまでもまっすぐに進めない仕組みになっている。

何度目かのT字路を曲がったときだった。

不意に前方に視界が開けた。まっすぐにのびる縦の道の両側には、家が一軒も建っていない。代わりに、前方に、黒々とした森のようなものが広がっている。そこまでは、二百メートルほどの距離だった。

ついに町の外側に出たのだ。僕は足を速めた。

そのとき、背後からエンジン音を聞いた。

振り返ると、ヘッドライトが、今曲がってきた横の道を走ってくるところだった。

この道に車が出れば、僕には身を隠す場所はどこにもない。

僕は躊躇《ちゅうちょ》した。戻って、最後の家の陰に身を隠すか、まっすぐ進んで前方に見える、森のようなところにとびこむか。

車は曲がり角のすぐそばまでやってきていた。あと数秒のうちに僕のま後ろに現われる。左右は、地ならしをしただけの、造成地のように平らな地面だ。

僕は前に向かって走りだした。背中で聞くエンジン音が高くなった。

走れ、走るんだ。歯をくいしばり、懸命に足を動かした。

もう少し車と会うのが早ければ、いくらでも身を隠す場所はあったのに——心の中でそう呪いながら全力疾走した。

黒々とした森が、大きく近づいてきた。それとともにヘッドライトが角を曲がるのを感じた。

間一髪で、僕は森の中に駆けこんだ。遮へい物のない道をハイビームにしたヘッドライトが貫き、森の中までさしこんだ。

森は、ひと抱え以上もある太い樹木が密生していた。足もとは、舗装路から湿った土に変わっている。それでもヘッドライトは、木々の間をつき抜け、奥へ奥へとさしこんだ。

僕は逃げ回るように森の中を走り、一本の太い木の陰に飛びこんだ。幹に背中を押しあてる。

勢いでヨットパーカーのポケットから目覚まし時計が飛びだした。

空中で受けとめようと手をのばしたが遅かった。目覚まし時計は、地面を盛りあげた太い根にあたり、音を立てて壊れた。

文字盤のガラスが割れ、電池を入れる裏蓋《ぶた》が外れて飛んだ。中から単一の電池が転げ出た。

光がちょうど、僕の隠れた木の幹にあたった。僕はのばしかけた手を凍りつかせ、息を止めた。

あとから来た車にはスポットライトが装備されていて、それを回転させ森の中を照射しているようだ。僕が夕方連れこまれたランドクルーザーと同じものにちがいない。

文字盤のガラスの破片がきらきらと輝いた。目覚まし時計は文字盤を横にして僕のすぐ足もとに転がっている。

見つかるだろうか。

僕は中腰のまま、息を殺していた。

僕は動かぬままそれをじっと見つめた。手や足を出すのは危険だった。

そのとき、時計から飛びでた電池に目がいった。文字が印刷されている。

日本語ではなかった。英語でもない。アルファベットのRを左右逆にした文字が含まれている。

ロシア語だ。

親父の唯一の特技といえるのが外国語だ。行商人時代に身につけたのだろう。そのせいで、我が家にはいろんな国のいろんな出版物がある。

その中に、ソ連で発行された雑誌もあって、僕はそれでこの逆Rを見たことがあった。目覚まし時計の中に、ソビエト製の乾電池が入っていたのだ。

ライトが僕の隠れている木をそれた。どうやら見つからなかったようだ。

僕はそっと幹の陰から、道の方角をのぞいた。

思った通り、ランドクルーザーがつきあたりに止まっていた。天井につけたスポットライトを回転させ、森の中を照らしだしている。

僕はかがみこむと、目覚まし時計と電池を拾いあげた。裏蓋をはめ、泥をはらって、ポケットに押しこむ。ガラスが割れ、電池が飛びでたが、時計そのものは壊れてはいないようだ。

ランドクルーザーは、しばらく森の中を照らしていたが、やがてゆっくりと向きを変え、もと来た道を戻っていった。

特に誰かを捜している、というわけではなく、警備活動のひとつとして、巡回しているようだ。

僕はランドクルーザーが縦の道の角を回りこむのを確認した上で、木の陰から出た。

森の奥を目ざすつもりだった。

森の中は木立のせいで暗く、奥へ進めば進むほど、足もとを確かめるのが難しくなった。

幾度かつまずき、転びかけた。それでもライターを点《とも》すことだけは控えた。この黒々とした森の中での光は、かなり遠くからでも目立つはずだ。

森の幅は深く、百メートル以上あった。手と膝《ひざ》を泥だらけにしながら、僕は這《は》うようにして進んでいった。一度などは、つきでた枝で嫌というほど額を打って、尻《しり》もちをつき、しばらく立ちあがれないほどだった。

ようやく、森の切れ目が見えてきた。

そこまで来て、僕は立ち止まった。

森の切れ目には高さ三メートルもある、金網のフェンスが立ち塞《ふさ》がっていた。フェンスの天辺《てっぺん》には、有刺鉄線がはり渡されている。

よじ登ることを一瞬考え、それよりフェンスに沿って歩いてみようと思った。どこかに出入口があるかもしれなかった。

森の外側に面したフェンス沿いに、僕は歩いていった。フェンスの外側にも木はあり、その向こう側の視界をさえぎっている。

しばらく歩くうちに、フェンスの外から音が聞こえてくることに僕は気づいた。

それは、ザーッという波の音に似た大きな物音だった。

あるところまで来て、突然、フェンスの外に立つ樹木が途切れた。そこからはまっすぐ視界が開けている。

僕はフェンスに顔を押しつけた。

黒々とした海が広がっていた。そこは断崖《だんがい》で、はるか下で白い波が渦巻いている。

見渡す限り、水平線だった。

僕はずるずるとしゃがみこんだ。

町は孤島の上に造られていたのだ。

夜明けの殺人鬼

1

どれだけの時間、僕はフェンスの内側にしゃがみこんでいただろうか。

ようやく腰をあげる元気が生まれたとき、空の彼方《かなた》の濃紺に、ミルクを溶かしたような薄明かりがさし始めていた。

僕はフェンスに沿って、もと来た道をゆっくり戻り始めた。

胸の中で自問自答をくり返す。

まず問題の一。

ここはどこなのか。

答は出ない。とにかく海に周囲を囲まれている様子から、島か、つき出た半島の突端と考えてよいようだ。

日本なのか。

多分ちがうだろう。いくら電波状態が悪いとはいえ、細工でもされていない限り、テレビの全チャンネルに、映像はともかく音声すら入らぬはずはない。

すると、外国か。外国とすれば、どこの国なのか。

わからない。少なくとも、町の人々のうち、僕が会話を交わした人々は日本語を話している。その人たちは、外見から判断する限り、日本人か、日本人に近い容貌《ようぼう》を持つ東洋人だ。

国籍を判断する材料として、自動車や電化製品、衣服などがある。

僕が今着ているジーンズなどは、アメリカ製か、そのライセンスで生産された品だ。車は、ガレージにあったゴルフが西ドイツ製、ランドクルーザー、五十ccのバイクは日本製、テレビ、CDプレーヤーなども日本製だった。何より、文字や煙草、それにお金などが日本製だ。

そこから考えれば、日本の国内のどこかの島か、日本にきわめて近い位置の島、ということになる。気候的にも、日本とさほど変わらない気温だ。

だが、目覚まし時計に入っていた乾電池はソビエト製だった。従って、この島が日本と深い関わりを持つからといって、日本またはその近くと断ずることはできない。

僕は森の、入ってきた一本道に近い場所にまで戻ってきていた。

ランドクルーザーの姿はなかった。町は、暗い家並みとなって前方に広がっている。

一本道を歩きだした。

自問自答をつづける。

問題の二。

僕はここに閉じこめられているのか。

閉じこめられているとも、いないとも、いえる。

少なくとも、ひとつの部屋に監禁されているわけではない。また家を出ることをさまたげる存在は何もない。

ランドクルーザーに乗った男たちは、確かに僕を威嚇し、家にまで連れ帰った。しかし、それは、僕だからではない。

この町は今、戒厳令にも似た、「夜間外出禁止令」がしかれているのだ。僕がそれに違反したから、あの男たちは僕を威嚇したのだ。いいかえれば、僕でなくとも、たまたま彼らのパトロールにひっかかった人間はすべて、同じ目にあっただろう。

では、僕は閉じこめられていないのか。

そうではない。少なくとも、今の僕には外部――親父や島津さん――と連絡をとる手段はない。

この町全体が大きな刑務所でない限り、いやそうだとしても、外部と何らかの形で連絡をとる手段はあるはずだ。

ただ、これは想像だが、その手段は、たとえば東京や他の日本の町のように、家庭や街頭のどこにでもある、というわけではないようだ。

つまり、ゼロではないが、制限をされている、ということだ。

そしてそのことは、そのまま今の僕の状態にもあてはまる。

監禁はされていない、だが行動を制限されている。

問題の三。

では、それは誰によって行われているのか。

これには答は出ない。この町が、ありきたりの普通の町ではない、という僕の仮定(裏付けるのは、ランクルの兵士であり、『夜間外出禁止令』だ)に従えば、何かの目的のために、人工的に作られた町である以上、そこには、はっきりとした個人または組織の意志が働いていることになる。その個人、または組織の正体が、僕には不明なのだ。

問題の四。

それを知る手段はあるか。

あるはずだ。たとえば、〝お母さん〟やいずみ、あるいは、あの二軒先のおっさんが、それを知らずしてこの町に「住んで」いるはずはない。それを訊《き》きだせるかどうかは、別の問題だが。

問題の五。

僕はなぜここにいるのか。

物理的な理由はわかっている。誰かが、失神した僕の体を、この町まで運んできたのだ。問題は、その目的だ。

一瞬、不気味な考えが浮かんだ。それは、この町に、僕そっくりの、やはり冴木隆という少年がいて、その少年が、死ぬか、それに近い状態に陥ったために、身代わりとして連れてこられたのではないか、ということだ。〝お母さん〟やいずみは、そのことを知らずに、僕をこの町のリュウ君だと信じこんでいるのだ。

だが、いくら何でも、顔や体つきがそっくりな上に、名前、それも父親の名前まで同じ、ということはありえない。確率的にいっても、限りなくゼロに近い数字の可能性だ。

では、〝お母さん〟やいずみは、なぜ僕を、家族であるかのように扱うのだろうか。

このことは、大きく問題に関わってくる。

僕に、この町の住人であることを納得させるためだろうか。

何の説明も予備知識も与えずに？

目覚めたら、突然、見知らぬ町の住人とされ、見知らぬ家族がいる――そんな状態におかれたら、普通、パニックだ。

考えてみると、これはずいぶん恐ろしい状態だ。この町の住人が、皆が皆、僕を「この町の冴木隆」として扱いつづけ、しかもそこから逃れでる術《すべ》がなかったら、僕はどうなってしまうだろうか。

パニック、そして二度目の目覚めのあと感じたような、自分に対する不安。高じれば、危険な状態にはまりこむかもしれない。

では、僕をそんな状態にするために、この町は作られたのだろうか。

ありえない。

親父のアシスタントとして、アルバイト探偵をこなしてきた間、人に恨みを買っていないとはいいきれないだろう。むろん僕からすれば逆恨みだが。

しかしそのために、これは、大げさすぎる。恨みがあるなら、ブスッなり、ズドンなりするのが、暗黒街の常識だ。だいたい、行商人《スパイ》の世界には、恨みを残さないというルールがある。戦って、勝とうが負けようが、それはあくまでその場限りのことなのだ。フェアとはとてもいえない世界だが、ある種、スポーツの試合に似たゲーム的な約束ごとがまかり通るという奇妙な要素も備えている。

そこまで考え、僕は、はっとした。

この町を支配している、奇妙な作り物の雰囲気と行商人の世界のルールには、どこか、あい通じるものがある。

ここまで規模の大きな人工の町を作る理由があるとすれば、それは行商人の世界をおいて、他にはないのではないか。

僕は、〝我が家〟のある通りにさしかかろうとしていた。途中、一台の車にも出会わず、人から見とがめられることもなく、帰ってきたのだ。

今しばらくは、この町の様子を探る他ない——僕は思った。〝お母さん〟やいずみが、嘘をついている、いいかえれば、その役柄を演じている、としても、簡単にはその理由を明かすはずはない。

しかし、そこに何らかの理由があって、この状態がある以上、僕のおかれた立場に変化は必ず生じるはずだ。

出席日数と卒業証書との重大な関係を考えれば、それほど悠長なことをいってはいられないが、とりあえず、ここは僕に対する皆の出方を見守る他ないだろう。

できれば、もうひとりの冴木隆がいて、僕がこの町のリュウ君を演じている間、都立K高校の生徒としてツツガない学生生活を送ってくれているとありがたいのだが。

もし、このことが理由で、僕が高校を三年で卒業できなくなるようなことになったら、たとえ何者であろうと、きっちりケジメはつけさせていただこう――僕は決意した。向学心に燃える前途有望な若者の進路を阻んだ報いは重い。

覚悟してもらおうか。


翌朝、昼近くになって、僕はようやく起きだした。

「お兄ちゃんの寝ぼすけ」

顔を洗っていると、洗面所の鏡にいずみが顔を映していった。

僕はタオルで顔をこすりながら向き直った。いずみは、トレーナーにコットンのミニスカートをはいていた。

「お母さん、もう出かけちゃったわよ。お父さんから電話があって、仕事の手伝いをしなけりゃいけないからって」

「何？　仕事の手伝いって？」

「わかんない。帳簿つけとか何かじゃない？　お兄ちゃんの朝御飯、わたしに作りなさいって……」

僕はタオルをおろし、いずみを見つめた。

「できるの？」

「何いってんのよ。お母さんがいないとき、わたしがいつも作ってるんじゃない」

僕は頷《うなず》いた。まあ、いきなり毒を盛られることはないだろう。

一階のダイニングに降りると、テーブルにすわり、キッチンで動くいずみの姿を、ぼんやり見つめた。

「はい、コーヒー」

マグカップは、イギリス製の高級品だった。ウェッジウッドだ。

「ミルクとシュガーは、そこにあるわ」

「──俺、ブラック党なんだけど」

いうと、後ろ姿のいずみは一瞬、どきっとしたように手を止めた。

「卵は、目玉よりスクランブルの方が好きだからね」

「わかってるわよ。ベーコンはカリカリがいいんでしょ」

「あたり」

二分の一の確率だ。あたったからといって驚くほどのことじゃない。

「新聞ある？　フジ三太郎読みたいんだ」

「何いってんの、お兄ちゃん。新聞は、明日《あした》じゃなきゃ来ないわよ」

いずみの声が上ずった。つづいて、ジュウッという音がして香ばしい匂いが立ち昇った。

「ずいぶん遅いな。販売店に文句いった方がいいんじゃないの」

「新聞はお父さんが持って帰ってくるの」

「じゃあ、テレビ欄が見られないよ」

「テレビはビデオでしか見られないでしょう。ニュースだって映画だってMTVだって……」

ずいぶん不便な町だ。

「いずみも学校休みなの？」

「そうだよ、お兄《お》ちゃんと同んなじ。学校祭の準備」

いずみが皿にベーコンとスクランブルエッグを盛って、僕の前においた。

「スープはミネストローネ。飲む？」

「うん」

スープの皿からひと口すすって驚いた。抜群においしかった。「麻呂宇」の星野ドラキュラ伯爵とだって、はりあえる腕だ。

「これ、君が作ったの？」

「そうだよ」

「うまいね」

いずみがにこっと笑った。可愛い笑顔だった。お兄さんは、思わずアヤマチを犯してしまいそう。

「お兄ちゃん、何すんの、今日は」

食べ始めた僕の向かいに、おそろいのマグカップを手にしたいずみがすわって、いった。

「別に。その辺でぶらぶらしようかなって……」

「だったらサイクリング行かない？　お弁当作って」

僕は返答に一瞬、窮していずみを見つめた。

普通、僕の年くらいの兄妹《きょうだい》は、それほど仲がいいものではないはずだ。本当の僕は、妹がいないからわからないが、クラスの友達などで、妹のいる連中から聞くと、ほとんど口もろくにきかない、なんて方が多い。

「ね、行こ」

いずみは瞳《ひとみ》をくりくりっと動かして、僕の顔をのぞきこみ、いった。

「どこへ行くんだい？」

「海」

「海？」

「うん。お母さんたち今日遅いからさ——」

「お父さんも帰ってくるのかい？」

僕はいずみの言葉をさえぎった。いったい、どんな〝親父〟が帰ってくるというのだ。

「わかんない。お父さん、忙しいからね」

「ふーん。海で何すんの？」

「バーベキューやろうよ。道具持っていってさ」

海——この町がいったいどんな場所にあるのか、知るにはいいかもしれない。

「いいよ」

「やった。じゃ、わたし準備する。暗くなる前に帰ってこないとヤバイもんね」

いずみはさっと立ちあがった。どうやら、この家のリュウ君は、やたら妹になつかれている様子。

僕が食事を終える間に、いずみはクーラーボックスにバーベキューの材料などを詰めこんでいた。

「ちょっとお手洗い」

二階にあがると、部屋で食後の一服をした。ジーンズにTシャツ、上にスウィングトップを着けて、下に降りた。

いずみはもう、すべての準備が整って、待ちきれない、という様子で玄関に立っている。

今日も、外はよく晴れている。

外に出ると、いずみはガレージのドアをひきあげた。

きのうあったワーゲンのゴルフがなくなっていた。そして、きのうはその陰で気づかなかった、二人乗りの自転車が壁にたてかけてあった。

「いつもお兄ちゃんが前だから、今日は、わたしが前ね」

いずみはいって、クーラーボックスを荷台に留めると、前のサドルにまたがった。

それはそうだ。はっきりいって、僕が方向を決めたら、どこに向かうか、知れたものではない。

僕は後ろのサドルにまたがりながら、〝我が家〟を振り返った。いずみは、ロックもせずに玄関のドアを閉めていた。いいのだろうか。もっとも、小さな町だから、空き巣の心配はないのかもしれない。

玄関には、改めて見ると、表札もなかった。

「行こう!」

いずみはいって、ペダルをこぎだした。きのう通った道をしばらく、横に走る。

「やあ、いずみちゃん、隆ちゃん」

例の緑色に塗られた家の前を通ると、おっさんが鉢植えに、またも水をやっていた。

今日の鉢植えは、きのうとちがい、丈の高い植物ばかりだ。

「こんにちは」

いずみは、にこやかに頭をさげた。

「どこ行くんだい？」

原宿竹下通りに、ちょっとショッピングに――そういいたいのをこらえ、僕は答えた。

「サイクリングです」

「海に行って、バーベキューしようと思って……」

いずみがいった。

「そう。でも暗くなる前に帰ってらっしゃいよ」

おっさんは頷いた。まただ。どうやら、この町の殺人鬼は、夜になると活動する、ドラキュラタイプとみた。

いずみが走った道は、昨夜僕が歩いた道とは別のコースだった。横の道を走る距離の方がずっと長い。やがて、写真で見た、森を抜ける道にさしかかった。

「ひと休みする？」

いずみが振り返っていった。僕は頷いた。

自転車を止め、大木によりかかって休んだ。木陰の風が気持よかった。

「海まで、まだあったっけ」

僕が訊《たず》ねると、いずみは首を振った。

「もうすぐだよ、ああ、気持いい」

いずみはトレーナーの胸元を揺すって、風を入れ、目を細めた。一瞬、ブラに包まれた白い胸がちらっと見え、僕は思わず目をそらした。

神サマ、妹ニ、コンナ気持ヲ感ジル僕ッテ、イケナイデショウカ、なんて。

海までは、その森を抜けるとすぐだった。

そこは、フェンスの切れ目にあたり、岩場や、白い小さな砂浜が、だらだら坂を下ったつきあたりにあった。

見渡す限りの青い海だ。小さな入り江になっているせいか、波がそこだけは、ゆるやかに寄せている。

だらだら坂は途中で、でこぼこ道に変わり、自転車を手で押していた僕らは、汗びっしょりになっていた。

「着いたあ」

いずみは砂浜に出ると、叫んで、ぺたっと岩にすわりこんだ。スニーカーとソックスを脱ぎ捨て、岩の水たまりに素足をつっこむ。

「気持いい！」

確かに最高の気分だった。東京では、バイクでかっ飛んだって、こんなにきれいな浜には、なかなか辿《たど》りつかない。おまけに、人は多いし、湘南《しょうなん》なんかはファーストフードの店だらけだ。

ここは本当のプライベートビーチだった。

僕はしばらく、自分の立場を忘れ、いずみと磯遊びをして楽しんだ。カニを採ったり、小魚を追いかけ回したり、食べられそうな貝を探したり、だ。

いずみは、食べられる貝を探しだす名人だった。健康的に焼けているのは、どうやらこういうアウトドアライフを幾度も楽しんでいるからのようだ。

遊び疲れると、ひと休みし、今度はバーベキューの準備にとりかかった。

「お兄ちゃんは、この岩の上に、持ってきたものを並べといて」

いずみはいって、森の中に姿を消した。しばらくすると、薪《まき》になりそうな枯れ木を腕いっぱいに抱えて戻ってきた。

僕はそれからのいずみの作業を黙って見守った。

いずみはまず、カマドになりそうな形の、乾いて向かいあった岩の間に、枯れた松の葉を積み、火をつけた。防水マッチが、クーラーボックスの中には入っていた。

それから細い枝をその松の葉の火にくべた。炎が大きくなるに従って、くべる枝の太さを大きくしていった。しかも、決して、空気の出口を塞《ふさ》ぐような、どさっというくべ方はしない。

手際よく、充分に慣れた動作だった。見ていると、ひとりでもキャンプを充分にこなしそうな腕前だ。

「焼き始めよう！」

唖然《あぜん》として見つめていた僕を振り仰ぎ、いずみはにこっと笑った。持ってきた材料を串《くし》に刺し、火で焙《あぶ》る。ナイフの扱いも堂に入《い》っている。まるで、男の子と女の子の立場が逆転したような鮮やかさだ。

僕にとって、生まれて初めて、海辺で食べるバーベキューの味は、信じられないほど、おいしかった。

2

僕は目を開けた。枕もとの目覚まし時計を見る。

午前三時に、あと二十分。

そっと起きあがり、ジーンズにヨットパーカー、スウィングトップを着けた。

家の中は静かだった。サイクリングから戻って一時間後に、〃お母さん〃が帰ってきた。〃お父さん〃は今日も帰らないらしい。〃お母さん〃のお土産は、ＭＴＶと全米バスケットボール選手権のビデオだった。

どこから持ってきたのか訊《き》いたが、笑ってはぐらかされた。

ビデオは、どちらも日本語の解説はなしだった。

夕食のあと、それをビデオで見た。通訳は、いずみがした。感心する僕に、

――お兄ちゃん、もっと勉強しないからよ。

といずみがいい、〃お母さん〃までもが、――そうよ、頑張ってよ。

という「お説教」までついた。

新鮮なオドロキ。

僕は、生まれてこのかた、「勉強しなさい」なんていう、お説教をされたことがなかった。何といっても、あの涼介親父は、人に説教できるタマではないからね。

親父は元気だろうか。僕の身を心配して、捜しているかしら。

ベッドにすわり、僕はぼんやりと考えた。

不思議の国の二日目が、じき過ぎようとしている。

とりとめのない会話。つかみどころのない関係。

すべては偽りだ。そんなことはわかっている。

なのに、この町の美しい家並みと、とり巻く自然に、僕は奇妙な安らぎを感じていた。

ここには受験戦争はない。マガイ物にせよ、平和がある。僕にとっては、今まで無縁だった、家庭のぬくもりがある。

だからといって、ずっとこのままではいられない。

僕は立ちあがった。目覚まし時計をスウィングトップのポケットに入れる。

とにかく、この町のことをもっと知っておかなければならない。

静かに部屋を出た。

家の中は暗く、誰も起きだす気配はない。

玄関を出ると、今度は町の中心部をめざした。

横の道を歩き、縦の道を折れる。内側へ、内側へと向かった。

どの家も暗かった。内側に向かうにつれ、円型の町並みは縮小し、そのぶん、家の数も少なくなっている。

途中、縦の道を走る、保安部のランドクルーザーを一台、やり過ごした。

パトロールは、あい変わらず行われているようだ。

僕が家を出て三十分ほどたったとき、ようやく、店らしい店にぶつかった。

平べったい横長の建物で、ガラス張りのショーウインドウがあり、内側にブラインドがおりている。

並びに、ガソリンスタンドが一軒あった。

どちらも無人のようだ。土地を特定できるような、文字を探した。

幾つかを見つけることはできた。だが、言葉の種類は滅茶苦茶《めちゃくちゃ》だった。日本語や英語、ロシア語はもちろん、ハングル文字や、どう見てもミミズがのたくったとしか思えない、アラビア文字まである。

どうやら、この町には、世界中の人間が住んでいるようだ。

ちなみに、公衆電話やポストの類《たぐい》は一切ない。外部との通信手段は、まったくといっていいほど見つからなかった。

そして、家を出て一時間後、ついに町の中心部へと到達した。

そこは、下り坂に変わった縦の道を降りた、すり鉢状の町並みの、〝底〟にあたる場所だった。

そこが町の中心部であることは、並んだクリーニングショップ、リキュールショップ、そして、「当分の間、休業いたします」という、何ヵ国語かで書かれた看板を掲げた、パブハウスが並ぶ「商店街」の存在で知ることができた。

そこには煙草の自動販売機もあった。使用通貨は日本円だが、値段は、日本の二分の一近い。販売機に入っている煙草は、僕の知らない銘柄も何種類かあった。

僕はマイルドセブンをひとつ、補給した。

「商店街」の裏に、一見倉庫を思わせる、頑丈な二階建ての建物があった。大きさは、優に〝我が家〟の五倍以上はある。出入口はガラス扉で、内部には明かりがついている。しかも、地下駐車場があって、ランドクルーザーが内部に止められているのも見えた。

僕はリキュールショップの看板の陰から、帰ってきたパトロールのランドクルーザーが、その建物の地下に吸いこまれるのを見送った。ここが「本部」のようだ。

中に忍びこみたいという欲求を、僕は懸命にこらえた。内部にどれだけの人間がいるかわからないし、もし見つかれば、どんな羽目になるか、予想もつかない。とりあえず、今夜は、「本部」が町の中心部にあるということがわかっただけでも充分だ。

この町が島の上にあるとすれば、船や飛行機の定期航路から外れた場所に存在しているのだろう。

たまに近くを船が通りかかることはあっても、島の周囲を囲んだ森に、内側の建物はおおい隠され、発見されることがない。「本部」の建物が、上にのびたビルディングになっていないのも、そうした発見から防ぐためにちがいない。

つまり、この町は、公には存在していないのだ。

その仮定を確信したのは、「本部」の建物を〝我が家〟とは反対方向に少し行き、高いフェンスでおおわれた敷地を見つけたときだった。

そこは明らかに空港だった。滑走路と覚しい、太くて幅のある道が何本も交差し、飛行機などを格納する建物が幾つもある。だが、国籍を明らかにする旗も、税関らしき建物もまるで存在しないのだ。

もし飛行機が着陸しても、乗員はフェンスのゲートからすたすたと、町の内部へ入りこめるようになっている。

レーダーを屋上に装備した建物は、中心部にあるが、どこにも国籍を示すものは何もなかった。

フェンスにとりつき、しばらく僕は空港の内部を観察していた。

見える場所には、いかなる飛行機もヘリコプターもおかれていない。

保安部員を乗せたジープが、空港の内部を巡回はしている。だがそれはあくまでも、単なる巡回であって、特に侵入者を警戒しているという様子ではない。

もちろん、だからといって僕がフェンスを乗りこえ、空港内部に忍びこんでこの町を脱出するのは不可能だった。

仮に格納庫の中に、中型の飛行機かヘリコプターを見つけたとしても、僕には操縦することはできないし、どっちに向かって飛んでいいのかすらわからないのだ。

僕はジープに発見される前に、空港のフェンスを離れた。この町からの移動手段が、空路のみとは限ったわけではない。周囲を海に囲まれている以上、船を着ける港も必ずあるはずだ。

だが島全土を見て回れるほどの余裕は、今夜はもうなかった。

じきに夜が明ける。

そのとき、僕は空港の内部があわただしくなったことに気づいた。照明が次々と点灯され、滑走路が闇の中に美しいラインを浮かびあがらせた。

サイレンこそ鳴らないが、明らかに訪問者を迎えいれる準備にとりかかっているようだ。

やがて頭上に爆音が轟《とどろ》いた。僕はできるだけ光の中に体をさらさないように注意しながら、降下してくる飛行機の正体をつきとめようと観察した。

全体に白っぽく細長い形をした大型の飛行機が、旋回し、着陸態勢に入るのが、空へ向けて放射されるスポットライトの光の中に浮かんだ。

僕は息を呑《の》んだ。

それは旅客機などではなく、まぎれもない爆撃機だった。

しかも、今はテレビや新聞では決して見ることのできない、古い型のプロペラ式爆撃機だ。日本に原子爆弾を落とした爆撃機――B29だった。

カチリ、という小さな物音を聞き、僕は足を止めた。

物音は、前方の右側の家並みの方角から聞こえた。

そのとき僕は、〝我が家〟に面した通りにまで足を運んでいた。ほんの四、五軒先が、〝我が家〟だ。

僕は素早く左手の家の裏庭を囲った生け垣に身を隠した。一メートルほど丈のある、バラのような植物でできた生け垣だった。幸いに、バラとちがって棘《とげ》はない。

生け垣の切れ目に体を押しこみ、音のした方角を見た。

夜空はかなり白んではいるが、まだ完全には明けきっていなかった。

時刻にすれば、午前五時を過ぎたかどうかというあたりだろう。

早朝ジョギングを楽しむにしても、いささか早すぎる時間だ。

息を殺し、見つめていると、一軒の家の、表玄関ではなく、横手についた扉が開いた。

家は、緑色に塗られた平屋だ。庭先には鉢植えを並べた飾り台がある。

それを見て、僕は思い出した。連日、声をかけてきた、おっさんの家だ。

扉を開け、現われたのは、ぼんやりとはしているが大柄な人影だった。人影は、あたりを見回すと、静かに扉を閉めた。

聞こえてきたカチリという音は、扉のかけ金を、内側から外した響きだったようだ。

僕は人影に目をこらした。頭が異様に大きい。ヘルメットをかぶっているせいだ。そして、身に着けている迷彩色のツナギに、見覚えがあった。

ランドクルーザーの男たちが着ていたのと同じ、戦闘服だ。

戦闘服を着た人影は、僕が歩いていた道とは反対の、裏手に面した道の方角に歩きだした。大またで足早な歩みで遠ざかっていく。

人影が家並みにさえぎられ、見えなくなっても、僕はその場を動かなかった。

やがて離れたところから、車のエンジンを始動する音が聞こえた。

僕は生け垣の間から首をつきだした。二百メートルほど先にある、縦の道を、ヘッドライトをつけない車が、町の中心部めがけて走っていくのが見えた。

車はかなりのスピードを出していた。暗いのと遠いのとで、車種の見当まではつかない。

僕は生け垣の中から這《は》いだした。

あの家の住人に、保安部の人間がいて、早朝出勤をしたのだろうか。

とすれば、車を家から離れた場所に止めていたのは奇妙だった。

僕はぼんやりと、人影が出てきた、緑色の家の勝手口を見つめた。

扉は完全に閉まっていなかった。数十センチほど開いている。

何かがおかしかった。

すべてがおかしい。この町にあっても、今見たことは、何か普通ではない意味があると勘が告げていた。

一番賢いのは、家族が起きださぬうちに〝我が家〟に戻り、ベッドにもぐりこむことだ。

単に出勤前の「保安部員」がドアを閉め忘れたからといって、妙な好奇心を働かすのはまちがっている。第一、ここまできてうろちょろすれば、夜間外出をしていたのがバレる危険すらあった。

だが、僕は吸いよせられるように、緑色の家の勝手口に近づいていった。

保安部の制服を着けた人影は、明らかに人に見られることを警戒していた。車もこの家の前には止めず、別の場所においていたくらいだ。

自分の家から出勤するのに、そんな注意を払う人間がいるだろうか。しかも服装から判断する限り、人影は、取り締まられるより、取り締まる側の人間なのだ。

扉は、家と同じく緑色に塗られていた。木製で、この町の家がどこもそうであるように、住人の名を示す表札はどこにもない。

家の内部には明かりはついておらず、扉の奥は暗く静まりかえっていた。

中に入るべきかどうか、一瞬、僕は躊躇《ちゅうちょ》した。入りこみ、万一、起きてきた住人とはちあわせすれば、いくら「隣組」とはいえ、弁解にはかなり苦労しそうだった。

だがそのとき、家の内部から流れ出てきた、かすかな匂いが、僕をはっとさせた。

アルバイト探偵をしてきた間、幾度かかいだことのある匂いだった。

火薬の匂いだ。

それも花火の匂いなんかじゃない。銃弾に使われる、無煙火薬が燃えた匂いだ。

背すじが知らぬまにぴんとのび、胃袋のあたりをぎゅっとつかまれたような緊張感が体を走った。

誰かがこの家の中で、銃を撃ったのだ。

家の中で射撃練習をしたのだろうか。眠れないからといって、頭の中の羊を数える代わりに、壁の染みに銃をぶっぱなす、というのは、ストレス解消には悪くないかもしれないが、「殺人鬼」に怯《おび》えている町内では、あまり隣人愛に富んだ行為とはいえない。

僕はそっと扉のすきまを広げた。

耳をすます。

物音はまるでしない。死んだように静かだ。

試みに、

「コンコン」

口で小さくノックしてみた。

返事はなかった。

「おはようございます」

もう少し大きく、だが他の家にまでは届かないていどの声でいってみた。

静まりかえったまま。

家の中に一歩踏みこんだ。無煙火薬の匂いが強くなった。

ぶっぱなされたのは、一発や二発ではなさそうだ。

そこはキッチンだった。きれいに片付いた流し台と、電子レンジや冷蔵庫が並んでいる。家と同じく緑色に塗られた食器棚やテーブルも見てとれた。あのおっさんは、とにかく緑が好きなようだ。テーブルのかたわらには、人の背ほどもある観葉植物の鉢がおかれている。

キッチンと、その奥を隔てるドアも半ば開いていた。僕の目が闇に慣れてくると居間のような、ソファ（これも緑色だ）とコーヒーテーブルのおかれた部屋があるのが見てとれた。

僕はドアに歩みよった。

ソファはひとり掛け用が四脚あり、表の庭に面した窓の下に配置されている。その部屋にも鉢植えが幾つもあった。

窓には緑色をしたカーテンが閉まっていた。光を通さない、厚い生地で作られている。

居間に入った僕は立ち止まった。

並んだソファの向こうから、緑色のパジャマを着た足が投げだされていた。床の上に、うつぶせの格好で、足はのびている。

「おはようございます」

足に向かっていった。返事はなかった。

ソファを回りこんだ。

半ば予期していたが、それでも思わず声が出そうになった。

緑色のパジャマを着けた、あのおっさんが倒れていた。顔を横に向け、両手を下にしている。後頭部とパジャマのわき腹の部分に血だまりができていた。

わき腹を撃たれ、倒れたところを、頭に撃ちこまれたようだ。

僕はしばらく立ちすくんだまま死体を眺めていた。

ようやく我にかえると、居間に通じる別のドアの存在に気づいた。

ドアは、キッチンからのもの以外にふたつあり、ひとつは閉まり、ひとつは大きく開いている。開いている方から、並んだふたつのベッドが見えた。

ベッドの片方から、床にずり落ちるように体を投げだしている、金髪の女性の姿があった。

おそらく、おっさんの奥さんだろうが、白人の、まだ三十代半ばの女性だった。胸と額に一発ずつ銃弾を打ちこまれている。

だんだんと吐きけがこみあげてきた。死体を見るのは初めてじゃない。だが、これほど徹底して、情け容赦なく殺された人間の死体を見たことはなかった。

「プロの手口だよ」

誰かがいった。聞いてからわかった。自分の声だった。

死体を前に独り言をいっていたのだ。僕はゆっくりと後退しながら独り言をつづけた。

「確実にとどめを刺してる。プロに決まってるじゃないか」

膝《ひざ》が少し震えていた。大声をあげ、この家を飛びだしたい、という気持を、懸命にこらえた。

どうすればいい？

この町に一一〇番はない。第一、保安部に知らせるとしても、僕が見た人影は、保安部の制服を着ていたのだ。

死体を見つけたことを知らせるにふさわしい人間は、この町にはひとりもいない。

大きく深呼吸した。火薬と血の匂いが強く鼻にさしこみ、危うく戻しそうになって、僕は口を押さえた。

今までこんなことは一度もなかった。誰かが殺される現場に居あわせたときには、必ず近くに親父がいた。こんな形で殺人に巻きこまれたことはない。

落ちつけ、落ちつくんだ。

僕は自分にいい聞かせた。この町には、敵も味方もいない。今は、自分ひとりだ。だからすべて、自分で判断し、行動する他ない。

まず、ここを出よう。

僕は家の中のものに触れないように注意しながら、勝手口までひき返した。

ドアのノブは、思い出せる限り、唯一、触れた場所だ。ヨットパーカーの裾《すそ》でぬぐう。

ドアを、入ったときと同じように、わずかに開いた状態にして、道へと忍び出た。

出てきた男がしたように、あたりを見回した。

どの家もまだ起きだしてはいない。窓はカーテンで閉ざされている。

外の空気を大きく吸うと、吐きけが少しおさまった。

急ぎ足で、〝我が家〟へと向かった。抜けだしたことを、〝お母さん〟やいずみに知られてはまずい。

音を立てないように玄関のドアを開き、家の中に入った。

中は暗く、静かだった。二人はまだ寝ているようだ。

階段をそっと登り、部屋の前まで来た。ノブを握って、中に入ろうとしたときだった。

「お兄ちゃん」

声がして、僕は立ちすくんだ。

パジャマを着たいずみが、手前の部屋のドアを開け、首をのぞかせて僕を見つめていた。

3

僕はいずみを見つめ返した。いずみの声はそれほど大きくはなく、〝お母さん〟が起きてくる気配はなかった。

いずみがすっと部屋を出、僕の前に立った。今まで眠っていたようには見えなかった。裾の長い、テディベアの柄のパジャマを着けている。

「どこ行ってたの？」

小声で僕に訊《たず》ねた。

「中に入ろう」

僕は開いたドアの内側をさした。僕らが本物の兄妹《きょうだい》でない以上、いずみが何と答えるか興味もあった。

いずみはいった。

「話すんだったら、わたしの部屋に行きましょ。お兄ちゃんの部屋じゃ、隣で寝ているママに聞こえるわ」

真剣な表情だった。僕はあっけにとられ、ようやく頷《うなず》いた。

いずみの部屋は、僕の部屋と同じ大きさで、ベッドとデスクの位置も似通っていた。ちがうのは、女の子らしいヌイグルミやリバー・フェニックスのポスターが飾られていることぐらいだ。

「すわってよ」

僕を部屋に迎え入れたいずみは、後ろ手にドアを閉じ、デスクを示した。

僕はデスクの椅子をひくと、馬乗りになった。いずみは、向かいあったベッドに腰をおろし、僕を見あげた。

部屋の中には、かすかに、甘い香りが漂っていた。いずみの長い髪から漂ってくるシャンプーの匂いだった。

「泥がついてるよ、スウィングトップの前のとこ」

いずみがいい、僕は腹のあたりを見おろした。空港のフェンスにしがみついたときについたにちがいない。

僕はパーカーから目覚まし時計を取りだし、デスクの上においた。

見つめるいずみの目が丸くなった。

「どうしてそんなものを？」

「腕時計が見つからなかったからさ」

いずみはちょっと眉《まゆ》をひそめた。可愛い顔をしているのに、妙にそんな大人っぽいしぐさが似合う。

「どこ行ってたの？」

「ちょっとその辺を散歩したんだ」

「嘘。そんな泥のつくようなところなんかないもの」

「わかった。ちょっと人殺しをしてきたんだ」

いずみはぎょっとしたように息を呑《の》んだ。

「嘘でしょう」

「本当さ。愛用のサイレンサー付きブローニングで、ブスッ、ブスッて、二人ばかり片付けてきた」

「趣味の悪い冗談だわ」

「兄貴の行動を監視するのは、趣味が悪くないのかい」

いずみは怒ったように僕をにらんだ。顎《あご》をつんとあげ、よく光る瞳《ひとみ》で見すえる。

「監視なんかしてない」

「じゃあどうして僕が出かけたってわかった？」

「玄関からこっそり入ってきたじゃない」

「そのとき声をかけなかったのは、なぜだい？」

「ママが起きるからよ」

「かばってくれようとしたの？　僕のことを」

「…………」

いずみは答えなかった。

「君は僕の妹じゃない。君には本物のお兄さんがいるかもしれないが、それは僕じゃない」

「まだいってるの！　そんなこと」

「怒ったふりをしたって駄目さ。本当のことは君だって、わかっているはずだ」

「いいわ、そんなことをいうんなら、ママを起こして、こっそりお兄ちゃんが出かけたってこと、いいつけるわよ」

「いいとも。ついでに近所のおじさん夫婦を殺してきたって、いったら？」

「何なの、それ」

「………………」

僕は答えず、いずみを見つめた。気が強く、素直そうな顔をしている。だがその奥に、不安があった。怯《おび》えを感じた。

「人が二人殺された。二軒隣の、緑色の家の人だ」

いずみは息を呑んだ。

「嘘！」

「本当さ。死体を見た。この目で」

「どうしてそんなこと……」

「散歩していたら、その家のドアが開いていた。中をのぞくと、人が倒れていた。昼間会った、あの家のおじさんと、金髪の奥さんらしい女の人だ」

いずみが何かをいうように口を開けた。だが言葉は出てこなかった。

「銃で撃ち殺されたんだ。二人とも二発ずつ撃たれていた。旦那《だんな》の方はわき腹と後頭部、奥さんの方は胸と額に――」

「やめて」

泣きそうな顔になっていずみはいった。

「やめてよ、そんなことというの」

「この町じゃ、殺人があったら、誰が調べるんだい？　指紋をとったり、訊《き》きこみをしたりするのは、誰の仕事なんだい？」

「お兄ちゃんは知ってるでしょう。きのうの夕方、会ったはずよ」

「保安部？」

いずみは力なく頷いた。

「教えてくれないか」

僕がいうと、いずみはうなだれていた顔をあげた。

「この町で起きた人殺しは今までに何件あったんだい？」

「三件。お兄ちゃんが見たのをいれると四件」

「犯人はつかまっていない？」

いずみは頷いた。

「殺されたのは、どんな人たち？」

「皆《み》んなこの町に住んでる人よ。最初は、ピータースンさんといって、町の反対側にいた白人の一家。次が名前を知らないひとり暮らしのお爺《じい》さん。その次がゴドノフさんとその娘さん。お兄ちゃんが見たのはリーさんと、奥さんよ」

「リーさん、日本人じゃないんだね」

「ええ。どこの国の人かは知らない。名前だって本名かどうかわからないわ」

「どういうこと？」

「この町の人はすべてそうよ。この町の住人というだけで、国籍や本名は、自分たちしか知らないわ。人にも教えない」

「いったい、この町は何なんだ?」

「町よ。わたしたちは、ただの『タウン』と呼んでるわ」

「タウン?」

「この町には、世界中からやってきた人が住んでる。その人たちは、この町以外に行くところはないのよ。この町で生活して、子供を生み、生まれた子供は外の世界に行くけど、結局、ここに戻ってくるわ」

「いってることがわからないな」

「説明しようがないわ」

「君はここで生まれたのか」

いずみは力なく首を振った。

「だけどここで暮らしてる?」

「ええ」

「この町にはどれくらいの人が住んでるんだい?」

「わからないわ。はっきりしたことは、本部でしかわからない」

「本部というのはどこにある?」

「町の中心部よ」

「本部に行けば、いろんなことがわかるのかい？」

「もし、教えてくれたら、ね。きっと何も教えてくれないわ。訊きにいく人もいないだろうし」

「わからないな。それはどうしてだい」

「いえないわ」

いずみは低い声でいった。

僕は息を吐いた。

「君の本当の名前は？」

いずみが答えようとしたときだった。車のブレーキを踏む、キキーッという音が窓の下から聞こえた。

いずみが立ちあがり、カーテンをめくった。

あの緑色の家の前に、何台もの黒塗りのランドクルーザーが止まっていた。制服を着けた男たちが車を降り、M16を手に、あたりを警戒している。

ひとりの制服の男が、スウェットスーツを着た、住人らしい男と立ち話をしていた。

そのスウェットスーツの男が振り返って、僕らのいるこの家を指さしているのが見えた。

制服の男は頷《うなず》き、駐車されたランクルの一台にとって返した。

「保安部だわ」

いずみがいった。

「死体が見つかったんだ」

僕はいったが、どうやらことはそれだけではなさそうだった。

ランクルに戻った制服の男は、運転席の窓から無線機のマイクをひっぱりだし、何ごとかを話しかけている。

昇りかけた朝日が、その黒いヘルメットに不気味に反射していた。

「ルーキーの意味を教えてくれ」

「この町に連れてこられた子供よ。赤ん坊から、十八歳ぐらいまでの青少年」

「なぜ連れてこられるんだい」

「教育を受けるため」

「何の？」

いずみが答えようとしたとき、無線機のマイクをつかんでいた男が、散開している別の兵士たちに呼びかけた。

兵士たちがいっせいに、この家めがけ走りだした。

「たいへん！　ここへ来るわ」

いずみが叫んだ。

「どうやら誰かに見られていたんだ。あの家を出て、ここに入るところを」

「部屋に戻って。寝てたふりをしなければ連行されるわよ」

「連行されるとどうなるのかな」

「わからない。処分もありうるわ」

「処分てのは、まさか……」

兵士たちは庭を回りこみ、この家を包囲し始めていた。玄関のチャイムが鳴った。

「急いで！」

「なんてこった！」

僕はいうと、いずみの部屋を出、自分の部屋にとびこんだ。

間一髪で、隣の〝お母さん〟の部屋のドアが開いた。

ヨットパーカーとジーンズを脱ぎ捨て、ベッドにもぐりこむ。

「はい？」

〝お母さん〟が応《こた》える声が聞こえた。

「保安部の者だ、開けろ！」

〝お母さん〟が階段を降りていく足音が聞こえた。

しばらくして、複数の足音が階段に響いた。

部屋のドアが荒々しく開かれた。武装した男たちがなだれこみ、上半身をベッドから起こした僕に銃をつきつけた。

「動くな！」

僕は両手をあげた。

「ベッドを出て、洋服を着ろ」

先頭に立ってとびこんできた男が、手にした自動拳銃《けんじゅう》を振って命令した。

「何ですか？」

「質問は許さん。洋服を着たら、我々と一緒に来るんだ」

僕は大げさにアクビをしてみせた。

「低血だから朝弱いんだけど……」

男が一歩退《さが》り、控えていた別の兵士に合図を送った。

その兵士が進み出、銀色の拳銃のようなものを僕の肩に押しあてた。

「今、起きるから――」

兵士が引き金をひいた。銃の後方からつき出たピストンのような金具が、プシュッという音を立て、同時に肩に鋭い痛みを感じた。

僕は目を瞠《みひら》いて、撃った兵士を見つめた。背後には三人の兵士がいる。その向こうに、開いたドアのそばに立つ〝お母さん〟といずみの姿があった。

誰も何もいわなかった。

もう一度、撃った男の顔を見ようとし、僕は何もわからなくなった。

目を開けた。白く塗られた天井が見えた。

頭が割れるように痛い。あわてて目を閉じた。

「起きろ」

声がした。

もう一度目を開き、声のした方向を見た。

保安部の制服を着けた、がっしりとした男が立っていた。手に注射器を持っている。

それを見て、僕は何が起きたかを知った。

銀色の拳銃のようなものは、麻酔銃だったにちがいない。そして今、この男が僕に覚《かく》醒《せい》させるための薬を射ったのだ。

上半身を起こすと、頭がふらついた。

床も壁も白い、監獄のような部屋だった。片側の壁は、檻《おり》のような鉄格子がはまっている。

「連れていけ」

男が一歩退って命じた。白衣をつけ、マスクをはめた二人のごつい男が僕の両わきを持ちあげ、横たわっていた固いベッドからひきずり起こした。

下半身にはいつのまにかジーンズをはかされていた。他は、靴も靴下もない裸足《はだし》だ。

注射器を手にした男が鉄格子をスライドさせた。

廊下に出る。鉄格子が一列につづいていた。まるで刑務所のようだ。

廊下の床や天井も白く塗られていた。床にはオレンジ色のラインがひかれており、その上を軽々と僕はひきずられていった。

左右を見ようにも、ごつい二人組に阻まれて、他に押しこめられている人間がいるかどうかすらわからない。

廊下のつきあたりにドアがあった。先を歩いていた男がそのドアを開いた。

木の椅子が一脚、ただそれだけの部屋だった。そこは、床も天井もむきだしのコンクリートでできている。

ただ椅子と向かいあう壁は、一面がガラスの鏡ばりだった。椅子はボルトで床に固定されている。

僕はその椅子におろされた。椅子の腕にはそれぞれ鎖のついた手錠があって、両方の手首をそれで留められた。

そこに僕を残し、男たちは部屋を出ていった。

ドアが閉まる。

ぞっとしない雰囲気の部屋だった。映画を上映して見せてくれるのでなければ、拷問以外の使い途《みち》は考えつかない。

僕は首を回し、内部を観察した。

正面の鏡がマジックミラーになっているのはまちがいないところだ。光は、その鏡の上につけられたスポットライトから発されていた。窓はどこにもない。

鏡の向こうに人がいるかどうかわからなかった。で、いってみた。

「君たちのやっていることは、明らかに児童福祉法に違反している。すみやかに僕を釈放しなさい」

いってから耳をすませた。返事はなかった。

しばらくすると、スポットライトがパチンと音を立てて消えた。

部屋は闇に沈んだ。光は、ごくわずかドアのすきまから洩《も》れてくるだけだ。

「うわっ、誰だ!?　お前は！　何をするっ、やめろ、やめてくれえっ」

僕は叫んだ。つづいて、断末魔の悲鳴をあげた。

悲鳴を止めた瞬間、ライトがぱっとついた。僕は倒していた頭を起こし、鏡に向かって笑ってみせた。どんなときも観客を退屈させない、エンターテイナーの意地だ。

再びライトが消えた。

少しばかり、胸のつかえがとれた気分だった。とにかく、次にこのライトがつくときは、この異常な町の存在理由をはっきりと説明してくれる人間が現われるはずだ。

わけのわからない「家族ごっこ」に巻きこまれるよりは、その方がずっと安心できる。

僕は、ようやく立ち直っていた。いずみや〝お母さん〟より、事態を把握した人間が登場しそうな予感があったせいだ。

そこで、なるべく楽な姿勢をとると、頭痛をとるための努力——つまり眠ることに決めた。

4

スポットライトがついた。瞼《まぶた》を通してさしこむ、強く白い光に、僕は顔をあげた。本当の意味では、眠ったとはいえないだろう。だが、うとうととはしたようだ。

「冴木隆」

壁のどこかに埋めこまれたスピーカーが喋《しゃべ》った。

スポットライトはひどく眩《まぶ》しかった。僕は瞬《まばた》きし、目を光に慣らそうとつとめた。

膀胱《ぼうこう》がふくらんでいた。

「冴木隆」

スピーカーがまたいった。

「何ですか」

僕は鏡の奥を見すえ、いった。

「なぜ、リー夫妻を殺した」

「なぜ、僕をこの町に連れてきた」

「質問に答えないと、後悔するぞ」

「もう後悔してる。煙草もやめる。学校もちゃんと行くから広尾に帰してよ」

「凶器の銃はどこにやった」

「あのねえ」

いい加減馬鹿ばかしくなって、僕はいった。

「何の恨みもない、それこそ会ったこともないような夫婦を、ピストルで撃ち殺してまわるような趣味は僕にはないの。僕は朝の散歩をしていただけだからね。死体を発見したのは事実だけど、殺したのは僕じゃない。第一、殺人鬼は、僕がこの町に来る前から、三回も犯行を重ねてるっていうじゃない」

「よろしい。では見たことを話せ」

「話してもいいけど条件がある」

「取引は受け付けない」

「いいのかな。今そこに何人いる？」

「答えられない」

僕は唇をなめた。

「責任者を呼んでくれる？　そうしたら見たことをすべて話す」

「取引には応じられない」

「じゃあ何も話さない」

「こちらには自白剤の用意もある。その場合、君は廃人となる可能性がある」

「何のためだかは知らないけど、そっちは僕が可愛くて、思わず誘拐したのでしょうが。そんなことすると、後悔するよ」

リュウ君、精いっぱいの痩《や》せ我慢。

スピーカーは沈黙した。

しばらくして、最初とは別の声がスピーカーから響いた。

「私が責任者だ」

低い、なめらかな声だった。どこかで聞いたような気のする声だ。

「話したまえ」

「二人きりでなければ駄目だ。第三者には聞かせるわけにはいかないから」

「それが必要なのかね」

「必要」

「わかった。待ちたまえ」

スポットライトが突然消えた。代わりに、鏡の向こうで明かりがついた。シルエットになった男の姿が鏡の向こうにあった。

「これでどうかね？　録音機のスイッチも切った。君と私の二人きりだ」

僕は目を細め、逆光のシルエットを観察した。マジックミラーの奥も、ほとんど何もないガランとした部屋で、ここからうかがう限り、他に人間はいない。

「僕は犯人を見ている」

「本当かね」

「本当。ただし、それがどんな姿をしていたのかを話す前に、こっちの質問にも答えてもらわないと」

「君をこの町に連れてきた理由かね」

「責任者っていうのは本当みたいだね。馬鹿じゃないもの」

シルエットは、ヘルメットや戦闘服を着けている様子はなかった。普通の背広姿のように見える。背は高い。

男はくっくと笑った。

「君は、私が見こんだ通りの若者だな。頭が切れる。しかも胆《きも》っ玉がある」

「本当はおしっこ洩らしそうなんだ」

嘘じゃなかった。

「君をここに連れてきた理由はふたつある。ひとつは、君をこの町で育ててみたかったのだ」

「なぜ」

「ひとことで説明するのは難しい。ここが非常に特殊な土地であることを理解してもらわねばならないからだ」

「どう特殊なの」

「ここはいわば聖域だ。ここに住む者は、過去を捨て、安全を保証されることを望む人間と、その家族なのだ」

「つまり犯罪者？」

「犯罪という言葉の定義は、この町の存在理由にはほとんど無縁だ。行為を犯罪であるかどうかを決定するのは、法であり、法が国家によって制定される限り、国家を超越した存在であるこの土地には無意味だ」

「頭痛くなってきた」

「つまり、ここはどの国にも帰属しない土地なのだ。いいかえれば、ひとつの独立国と呼んでもさしつかえないだろう」

「で、あなたがその国王なわけ？」

「建国の責任者のひとりであることは認めよう」

「それじゃもとの質問に戻るけど、僕をここで育てていったい何の得があるの」

「さっきもいったように、ここは非常に特殊な、国家を超越した土地だ。ここにやってくるのは、君がいう犯罪者ではなく、ある種のスペシャリストである人々が多い。彼らは、スペシャリストであるがゆえに、それぞれの国家に利用され、裏切られ、ときには命まで狙われている場合がある。この町は、そうした人々のための安息の地なのだ。その人たちが、もとはどの国の人間であろうと、この町で平和に暮らすことを望むなら、拒まれることはない」

　だんだんわかってきた。この町は、引退した行商人の〝駆けこみ寺〟なのだ。

「当然の結果として、この町は、そうしたスペシャリストばかりが住んでいる。彼らのほとんどは引退した者だが、中にはまだまだその技術を実戦で生かすことができる人間や、実戦にたずさわることは不可能でも、その一流の技術と経験が、コーチとして役立つ人間が数多くいる。と、同時に、こうしたスペシャリストになるためには、才能が大きくものをいう。才能は、何によって培われるのか。まぎれもなく、血統だ。彼らスペシャリストの子弟は、スペシャリストとなるべき血を親からひいている。一流の血統に一流のコーチが、より優れたスペシャリストを生みだす、というわけだ」

「つまり、この町で養成していると……？」

「その通り。ここで育った者は、世界中のどの土地でもスペシャリストとして、訓練なしですぐに働けるだけの技術を持っている。しかも、わずらわしい愛国心や、本国に残した家族への脅迫などで縛られることはない。本物のプロフェッショナルといえるだろう。

プロは、どの国、どの陣営であろうと、与えられた任務に最良の結果をもたらすのだ」

僕は大きく溜《た》め息をついた。この男は、誇大妄想狂か、とてつもなく頭の切れる無政府主義者だ。

「僕をスパイにしようとしたんだね」

「君には一流の才能がある。ここで育つことによって、この町が生んだかつてない、一流のエージェントになることが可能だ」

「御冗談でしょう」

「一流のエージェントは、スパイという言葉から人が連想するような、暗く薄汚ない世界の人間ではない。一流のエージェントとは、優れた外交官であり、歴史の歯車を大きく変えることができ、何千、何万という人々の運命をつかさどる存在なのだ。ただし、政治家とちがい、表の舞台には、決して名を残すことはないが」

「まだ就職活動をするつもりはないんですけど……」

「むろん、君が一人前のエージェントとして巣立つのは、何年かのち、この町で与えられる教育をすべて終えてからだ」

「申しわけないんだけど、そのテの商売には興味はないの」

「この町に連れてこられた若者の皆が皆、エージェントになりたいと望んでいるわけではない。が、教育を受けるうちに、やがて自分の本来の才能を生かしたいという情熱に目覚めていくものだ」

それは目覚めじゃなく、洗脳だ。僕はぞっとした。やはり、この男の考えていることは相当アブナい。

「いきなり、いもしないお母さんや妹を僕に押しつけたのはなぜ？」

話がこれ以上、おっかない方向に進まないよう、僕は質問を変えた。

「君がそうした環境に送りこまれたとき、どのような反応を示すかを知りたかったのだ。他人になりすます、あるいは他人と家族のように振る舞うのは、エージェントにとり最低必要限の才能だからだ」

「じゃあ、テストには落第だね」

これほど嬉《うれ》しい落第もない。

「いや、合格だ。君の順応力はたいしたものがある」

がっくり。

「君は保安部とは別の人間に、観察されていた。夜中に部屋を抜けだし、この町の周囲を探ったことも報告を受けている。しかもその間、〝家族〟に疑いを抱かれないよう、注意も払った。実にみごとだ」

「それなら僕が人殺しをしていないこともわかっていたはずだ！」

「残念ながら、君を監視していた人間は、昨夜は途中で君を見失った。従って、君がやっていないという証人とはならない」

「役に立たない奴！」

「その通り。まったく役に立たない。が、それもその人物にとってはテストだった。君とはちがい、不合格になったわけだ」

「不合格だとどうなる。留年？　退学？」

「それは君の関知する問題ではない」

待てよ。僕は、はっとした。僕の行動を逐一、監視できた人間というのは――。

「それはいずみのことじゃないの？」

「………」

男は一瞬、沈黙した。どうやら正解だったようだ。

いずみは寝ていなかった。つまり、家を抜けだした僕のあとをつけていたのだ。

「驚いた。君は本当に優れた素質を持っている」

「いずみをどうするつもりだ？」

「あの子の処分は、まだ決まっていない。ただ、わかってもらえると思うが、この町におけるエージェントの教育は一流の技術を身につけることが要求される。それに応《こた》えられない者へのペナルティは大きい」

「一流になれないと、どうなるの？」

「厳しい結果が待っている」

「彼女はこの町で生まれたのじゃない、といった」

「彼女の本当の両親は既に死亡している。一流とはいえなかったが、それなりに優秀なエージェントだった。私は、施設にいた彼女を、彼女の希望でひきとったのだ」

「ここに来て、後悔したのじゃないの」

「一度この町の存在を知り、住人の顔を知った以上、離脱は許されない」

「馬鹿な！」

「馬鹿ではない。この町から巣立つエージェントは、すべて偽装の身分で世界中で活躍している。正体を知る者を解放するわけにはいかない」

僕は黙った。この町にパスポートや身分証を偽造する一流の施設があることは、想像に難《かた》くない。眠っている間に、僕の学生証やら、いずみとのスナップ写真を作りあげたくらいだ。

「理由の、その二を知りたいかね」

シルエットになった男はいった。

忘れていた。男は、僕をここに連れてきた理由はふたつある、といったのだ。

「聞こう。でも、その前にトイレに行かせてくれないかな。僕のものじゃないけど、ジーパンをよごしちゃ悪いからね」

「結構。待ちたまえ」

こちら側のスポットライトがつき、男のシルエットが消えた。

ドアが開き、白衣をつけた例のごつい二人連れが入ってきた。僕の手錠を外し、立たせる。

「来い」

ひとりが僕の前、ひとりが後ろに立って部屋を出た。

オレンジ色のラインをひいた廊下を戻る。

並んだ〝監獄〟の手前に、トイレがあった。用を足す間も、白衣のひとりが僕の背後に立って監視した。

ようやくすっきりして、僕は水道で手と顔を洗った。タオルや石鹸《せっけん》の類《たぐい》はまったくおいてない、殺風景なトイレだった。あの、きれいな家々と、同じ町にある建物とは、とても思えない。

濡《ぬ》れた顔と手をTシャツでぬぐう。

「早くしろ」

白衣の男がマスクの奥からくぐもった声でいった。

「ペーパータオルくらいおいておいたら」

「再教育者にそのようなものは必要ない」

「再教育者？」

「いちいち質問するな」

鏡の中でアカンベーをしてやった。一流の人間は、横柄な態度はとらないものだ。再教育が必要なのは、自分じゃないの。

「出ろ」

「へいへい」

じれったげに背中を小突かれ、トイレを出た。外で待っていたもうひとりの白衣は、ちょうど背を向けていた。

そのとき、男の肩ごしに、一番手前の〝監獄〟に入れられている人間の姿が見えた。

「いずみ！　いずみじゃないか」

僕は叫んだ。奥のベッドにすわり、しょんぼりとうなだれていたポニーテイルが、はっと顔をあげた。

僕は鉄格子に走りよった。

「どうしてこんなところにいるんだ⁉」

「お兄ちゃん！」

いってから、いずみは、はっとしたように口をつぐんだ。もう兄妹《きょうだい》の演技をする必要がないことに気づいたのだ。

「何してる！　私語は許さん！」

白衣のひとりが僕の肩をつかんだ。僕はそれを振りはらった。

「僕の監視に失敗したから、こんなところに入れられているのか」

いずみは、大きな瞳《ひとみ》を瞠《みひら》いて僕を見つめた。

「答えろよ！　そうなのか⁉」

「来い！」

今度は、僕の首すじに左腕をからませ、おおいかぶさってきた。僕の右手を鉄格子からはがし、ねじりあげようとする。

性格温厚なリュウ君だって、いいかげん我慢の限界がある。わけがわからないのに小突き回されたり、薬を射《う》たれたり、命令されるのはもう、うんざりだ。

僕はくるりと向き直ると、体を沈ませ、白衣の左腕を外した。つづいて、あべこべにそいつの右腕をひねりあげた。あわてて振りほどこうと、白衣が後ろ向きになる。

それを見はからい、腕を離し、右足をとばした。白衣の尻《しり》にものみごとに、僕の踵《かかと》は命中した。

後ろ向きにかがんだ白衣一号の体は、カタパルトから発射されたロケットのように飛びだした。

ゴッッという鈍い音がして、壁に頭を叩《たた》きつける。

「こいつ！」

白衣二号が殴りかかった。右のストレートをフェイントで出しておいて、左のカウンターをコメカミにぶちこんだ。

だがさすがに訓練を受けているらしく、簡単には倒れない。ぐらついただけだ。

僕は唇をかんだ。体重差がありすぎる。

「こ、小僧」

額を赤くした白衣一号が立ちあがった。

「押さえつけろ」

二号がいい、僕の背後に回ろうとした。僕はくるりと体を回し、後ろ蹴《げ》りを一号の顎《あご》に叩きこんだ。

ガシャン、と音を立てて一号は、いずみのいる監獄の鉄格子にぶつかった。

二号に向き直ろうとした。だが遅かった。

後ろから両腕を羽交い締めにされた。

「やれっ」

二号が叫んだ。一号がぐらつきながらも、立ちあがった。鼻血が吹きだしている。

一号が右拳《こぶし》を僕の腹に打ちこんだ。腹筋に力をこめ、受けとめた。それでもかなり効いた。

二発目を、一号はすぐにはくりださなかった。僕と一号はにらみあった。足をとばそうとしたが、二号が背後から足払いをかけ、うまくいかなかった。

瞬間、二発目を叩きこまれた。もろに入り、僕は体をくの字に折った。

「やめて！」

いずみが叫んだ。

左の頬に三発目がきた。口が切れ、血がとび散った。

「やめて！　お願い！」

「ふざけやがって、やれっ」

僕を万力《まんりき》のような力で押さえこんだ二号が叫んだ。

四発目が左の頬にきた。痛みはもうなかった。熱いだけだ。

二号が腕を離し、僕は床に崩れた。

「生意気なガキだ。薬漬けにしてやろうか！」

白衣一号がポケットから、銀色の麻酔銃を引き抜いた。

「冴木さん！」

いずみが鉄格子にしがみついて、僕を見おろした。

麻酔銃が首すじに押しつけられた。

「何をしている！」

声が浴びせられ、男たちが体を凍りつかせた。僕は朦朧《もうろう》とした目で、声のした方角を振り返った。
スーツ姿の長身の男が、立ちはだかって僕らを見おろしていた。
僕は目を瞠《みひら》いた。その男の顔に見覚えがあった。
粕谷。
親父の兄貴だという男だった。

得意科目「射撃」

1

「君らしくもない。なぜ、あんなことをしたのかね」

粕谷と親父に呼ばれていた男がいった。そこは、例の「拷問部屋」と隣りあった部屋だった。ビデオデッキやテープレコーダー、何に使うかはわからないが分析機械のようなメカが、壁ぎわの棚には並んでいる。

マジックミラーのこちら側に面して、長椅子がひとつおかれていた。前には、マイクが天井からぶらさがっている。

粕谷はその長椅子にかけ、葉巻をくゆらしながら、前に立つ僕を見あげていた。

「人から小突き回されるのに飽き飽きしたんですよ」

僕はいった。あい変わらず、憎たらしいほどのダンディぶりだった。光沢のある濃い緑のスーツを着け、淡い黄色のニットタイをしめている。

「まさか、ヒステリーを起こしたわけではあるまい？」

「起こしたくなっても不思議じゃない状況だと思いますがね」

「がっかりさせないでくれたまえ。君は、この町の最も期待されるルーキーだ」

僕は肩をすくめた。

「プロ野球のドラフトだって、蹴る権利はあるんです。行商人《スパイ》なんて、ちっとも楽しそうじゃない」

「探偵は面白いかね」

「あれは親父の手伝いです。あのとき、いったい何があったんですか」

「君が気を失ったときか」

僕は頷《うなず》いた。このキザ親父の白い前歯を叩き折ったら、さぞ気分がいいだろう。もっとも、かなり手強《てごわ》いと見たが。

「銃撃戦になったのを覚えているかね」

「ええ。……親父があんたを撃とうとした」

「その通り。そこへ別のグループが現われた。グループの狙いは、私の生命だった。冴木は、初めそれを私のボディガードだと誤解した。おかげで、私は命を救われた。君がその車にはねられて、私の足もとに転がってきたとき、私はすぐに君の体を盾にした。冴木の銃弾から私を守るためだ。卑怯《ひきょう》とは思わないで欲しい。先に撃ってきたのは冴木だからな」

僕は唇をかんだ。それは事実だった。親父はこの男を殺そうとしたのだ。

「君を、我々の車の中にひきずりこんだ。冴木は、案の定、撃ってはこなかった。君を傷つけるのを恐れたのだ。我々はその場を離れた。襲撃してきたグループは戦闘能力を失っていたし、冴木も傷を負っていた」

「怪我の具合はどうなんです？」

「心配かね」

「あれでも一応、親父ですからね」

粕谷は顎をひき、僕を見つめた。冷ややかな目だった。

「つまらん情だ。捨てたまえ。冴木は君の本当の父親じゃない」

「知ってますよ。おまけにグウタラで助平で怠け者のろくでなしだ」

粕谷の唇に笑みが浮かんだ。

「けれど、あんたより信頼できる」

笑みが消えた。

「奴は負け犬だ」

「どうかな。あんただって困っていたようだ。島津さんに助けを求めてた」

「あそこにいたのか」

僕は微笑んだ。

「親父は、国家権力から頼まれて動くことはあるけど、国家権力に救いを求めたりはしない。嫌な依頼には、いつでもクソ喰《く》らえといってる。それにいちいち、ボディガードをひき連れてもいない」

粕谷は苦笑した。

「奇妙な親子だ。罵《ののし》っちゃいるが、君は冴木のことが好きなのだな」

「頬をぽっと染めようかな」

粕谷は首を振った。そしていった。

「冴木は死んじゃいない。あの後、収容された病院から姿を消した。行方不明だ」

僕を捜しているにちがいない。そう思うと、ほっと気が軽くなった。その気持を読んだように、粕谷はいった。

「その通りだ。今頃は、君を必死になって捜し回っているだろう。だが奴にはこの町は見つけられん。君はあの後、薬を射《う》たれ、眠っている間にここに連れてこられたのだ」

「おかげで、脳が半分溶けちゃいましたよ。もうちょっとで、妹と、『禁断の愛』に走りそうにはなるし」

「いずみが気に入ったようだな」

「ステディを作るのが、この町じゃ難しいみたいなんで。手近なところで間にあわせようかな、なんて」

粕谷はくっくと笑った。

「よかろう。いずみを君につけてあげよう」

「二人でこの町で幸せに暮らしましたとさ……」

僕は肩をすくめた。

「そうではない。二人で私に力を貸してもらいたい」

「……？」

僕は粕谷を見つめた。

「理由のその二だ、隆くん。今、この町は危機にさらされている。外からの危機ではない。内に存在する危機だ。何者かが、この町の住人を殺し回っているのだ」

「一一〇番すればいいのに」

「冗談ではない」

「一一〇番にイタズラ電話をしたことはありませんよ。オールドミスの英語の先生にはやったことあるけど」

僕は舌を出し、ハアハアと喘《あえ》いでみせてやった。粕谷の目に、初めて怒りが瞬《また》いた。

「その態度はどうやら、冴木の悪しき影響らしいな。はっきりいっておくが、君に選べる道はふたつしかない。私に協力をするか、ここで厳しい再教育を受けるかだ。その場合、期待された成績をあげぬ限り、自由などという言葉がこの世に存在することすら、忘れてしまうぞ」

持って回った威《おど》し文句だった。

「その場合、いずみちゃんとの『禁断の愛』もなし？」

「むろんだ」

「いったい何をさせたいわけ？」

「住人を殺し回っている人物を捕えたい」

「ジェイソン？　それともエルム街のつけ爪おじさん？」

「何のことだ？」

「こっちの話。なぜ僕に？」

「君は外部から来た。君には動機もない。はっきりシロと断定できる。他の住人は誰ひとりとして信用できない。それに君は、犯人について何かを知っている。ちがうかちがわない。頭の動きは、持って回らないタイプらしい。

僕はゆっくりと息を吸いこんだ。

「つまり、僕にここで探偵をさせたいわけ？　引退した行商人ばかりの、プロだらけの町で。アマチュアのこの僕に」

粕谷は頷いた。

「その通りだ。買いかぶっているかもしれんが、私は君が役に立つと踏んでいる。君はこの町のただひとりのアマチュアだ。だから見えるものがあるかもしれん」

「プロに見えなくて、アマに見える？」

「玄人は往々にして、パターンの罠《わな》にはまりがちだ。この敵は、そうした決まったパターンを外して犯行を重ねている」

「ただ狂って、血に飢えているだけかもしれない」

粕谷は首を振った。

「ちがうな。君も死体を見たからには、それが狂人の仕業でないことはわかっているはずだ」

「思い出させないで。吐いちゃうよ」

「君が吐きけを感じるのは、血にか？」

「ちがう」

「手際のよさか」

僕は頷いた。

「そうだろう。あの手口は、狂った人間のとるものではない。目的を持ち、計画に従った、プロのやり方だ」

その通りだ。だからこそ、僕は吐きけを感じたのだ。

「プロとはりあったって勝てっこない」

「何も、戦えといっているのではない。バックアップはする。保安部の腕利きを君につけよう」

冗談じゃない。僕が見た犯人は、保安部の制服を着けていたのだ。それが変装でなければ、犯人に護衛してもらうようなものだ。

「ボ、ボディガードはいらない」

僕はあわてていった。粕谷は目を細めた。

「何を知っている？」

「犯人は保安部の制服を着てた」

粕谷がうっと息を詰まらせた。思いもよらなかったようだ。

「本物なのか」

「さあ。ヘルメットと戦闘服は本物みたいだった」

「誰かに喋《しゃべ》ったか、そのことを。たとえば、いずみに」

僕は首を振った。

粕谷は大きく息を吐きだした。それから宙を見すえた。

「そいつも君を見たのか」

「見ていたら、僕も今頃、死体じゃない？」

いってやった。粕谷は小さく頷《うなず》いた。

「わかった。少し時間をもらおう」

「で、僕は釈放されるのかな」

粕谷は僕を見た。

「この町から出すわけにはいかない。が、閉じこめたりはしない。朝食でもとっていてもらおうか」

冷たい笑みが浮かんでいた。

「ひとりじゃ食欲がわかないよ」

「よかろう。いずみも一緒だ」

僕は頷いた。まず、一ポイントだ。この町から抜け出せるかどうかは、これからの粕谷の考え次第だった。

僕が連れていかれたのは、その階の下にあるカフェテリアのような場所だった。コーヒーと軽いサンドイッチのような食事を、セルフサービスでとれるようになっている。テーブルの数は二十人分くらいで、隅の方では制服を着た男たちがコーヒーを飲んでいた。人数は三人ほどだが、すべて白人で、けっこう年をくっている。引退した人間が多いというのは、本当のようだ。

反対側の端で、コーヒーとホットドッグにありついていると、いずみが白衣のおばさんに連れられて現われた。おばさんは東洋人だが、日本人ではなかった。ひょっとしたらこの町は、日本人の方が少ないのかもしれない。

いずみは僕の向かいに力なく腰かけた。おばさんは僕らをおき去りにして立ち去った。

僕は周囲を見回した。制服の男たちは、ちらちらとこちらを見ているが、声が届くほど近くはない。時間帯のせいか、他にカフェテリアに人はいなかった。

このフロアも、さっきまでいたフロアも、地下にあるのか、窓というものがまるでない。

僕はワンセット余分に取っておいたコーヒーとホットドッグのトレイをいずみの前に押した。

「食べようぜ」

いずみは小さくかぶりを振った。僕がホットドッグにかぶりついていると、力のない声でいった。

「よく食べられるわね、こんなときに」

「育ち盛りだからね」

「でも顔が腫《は》れてるわ」

「平気さ。たいした傷じゃない」

いずみはあきれたように目をみはった。

「痩《や》せ我慢だよ。本当は泣きたいくらいなんだ」

「どっちなの？」

「わかんない。ヤケクソかな」

「どうしてそんなに朗らかでいられるの」

「性分なんだ。悪い方に考えたって仕方がないし」

「わたしたち、どうなるの」

両手で紙コップのコーヒーを包み、いずみは心細そうにいった。

「殺人鬼にしかける罠のエサ」

ぎょっとしたように僕を見た。

「本当に？」

僕は頷いていった。

「粕谷という男を知ってる？」

「粕谷……」

「男前だけど、えらくキザな親父」

「校長!?」

はっとしたようにいずみはいった。

「校長なの、あいつ」

「本当に知らないの？」

いずみは信じられないというように、眉《まゆ》をひそめた。僕は手を広げた。

「本当も何も、この町のことはまるきり知らない」

「ルーキーというのも本当なのね」

「新入りっていう意味じゃ、そうさ。もっとも、すぐに出ていきたいけど、こんなところ」

「じゃあ、嘘じゃなかったのね、朝、わたしの部屋でいったこと」

「ナンパする気でもないのに、どうして朝っぱらから、女の子の部屋でデタラメを並べなけりゃいけないんだい？」

「わたしは、あなたもテストを受けているのかもしれないって、半分思ってたの。なのに、わたしに本当のことをいったから、てっきり再教育だって……」

「御冗談を。テストは、この間の期末試験以来、受けてないよ、数IIで赤点とった……
…」

「彼は、この町の学校の校長よ。教育管理部門を担当しているの。保安部にも力があるわ。この町を作った人のひとり」

「君をスカウトしたのも奴らしいね」

「そうよ。噂じゃ、今でもトップクラスのフリーのエージェントらしいわ」

「フリーってのは言葉をかえりゃ、失業者さ」

いずみは首を振った。

「すごい腕利きで、アメリカやソビエトの情報機関とだって、対等に取引しているらしいわ。天才エージェントっていわれたそうよ、若い頃は」

まさか、その天才に嫉妬《しっと》して、親父は命を狙ったわけではないだろう。そういえば粕谷はひと言も、親父のことを「弟」だとはいわなかった。

「その校長と取引しようかと思って」

「何の？」

「君と僕の自由」

「自由……」

いずみは、本当に初めて聞くような響きでつぶやいた。それを見て、僕は粕谷の言葉が嘘ではなかったのを知った。怒りがこみあげた。

いくら天才かは知らないが、こんな作り物の町で、人を裏切ったり、陥れたりする行商人のテクニックを十代のうちから教えこもうなんてとんでもない話だ。

「君の本当の名前は何ていうんだい？」

僕は、保安部のおかげで訊《き》きそびれていた質問をした。

「いずみ・ジェーン・キャンベル」

「いずみというのは、本名なんだ」

「ええ。ずっと使ってなかったけど……」

「年は？」

「十七」

僕は右手をさしだした。いずみはきょとんとしてそれを見つめた。

「同じ年だ。握手」

いずみはおずおずと僕の手を握った。

「君のバーベキュー、最高だった」

「わたしのこと、恨んでない？　だましたから」

「まさか」

「監視もしたのよ。校長の命令で」

僕は肩をすくめた。

「断われない命令だろ」

初めていずみの口もとに笑みが浮かんだ。

「リュウっていうのは本名？」

「本名。冴木隆」

いずみの笑みが大きくなった。

「よかった。わたしも、あのバーベキュー、すごく楽しかった。校長の命令で、あなたを連れだしたんだけど、あんなに楽しかったの初めて。だって、この町には、わたしと同じ年のひと、いないから」

「学校にも？」

「いないわ。全校生徒あわせて、八人だもの。それも小学生から高校生くらいまでで——」

「じゃあ学校祭というのもでたらめ？」

「うん。休校中ってのは本当だけど」

「教えてくれないか。僕がここに連れてこられたとき、いったいどうしろといわれていたんだい？」

「テストだって。ママ役の彼女とわたしが選ばれて、ここで通達を受けたわ。あなたを家族のひとりとして扱い、あなたがこの町やわたしたちにどう反応するかを見るのが校長の目的だったのよ。あなたがエージェントに向いているか調べると同時に、わたしたちも与えられたカバーを充分に演じられるかをテストするって」

「カバー?」

「偽装。エージェントとして他の国に送りこまれるとき、あかの他人でも、夫婦や家族のふりをすること。男ひとりや女ひとりよりも、家族連れの方がスパイとして疑われにくいから」

「今までにもそんなことがあったのかい」

「他の国に行ったことはない。でも三ヵ月おきに、別々の人間を集めては、家族として生活させられるわ。その間も、他の家族を観察してレポートを出すの。うまく、家族を演じられたかどうか……」

「三ヵ月おき? じゃ住む家や、お父さんやお母さんがそのたびごとに変わるのかい」

「教育生はそう」

「なんてこったい」

僕は天を仰いだ。そんなインチキの家庭ばかり転々としていたら、人間性がイビツになるに決まっている。

「いったい誰が考えだしたんだ、そんな非人間的な教育方法を――」

いずみが答えかけ、僕の背後に目をやって口をつぐんだ。

「私だ」

僕は振り返った。粕谷が立っていた。

僕は粕谷をにらみつけた。

「あんたの教育が生みだすのは、人間を信用できないねじくれた心だけだ」

「エージェントは自分以外の人間は信用しないものだ」

粕谷は平然としていった。

「エージェントになりたくない人間はどうなるんだ⁉」

僕は憤然として怒鳴った。親父がこの男を生かしておけないと考えた理由がだんだんわかるような気がしてきた。

「この町には不要だ」

「不要になったらどうするんだ？」

粕谷の言葉にぞっとするほど冷たいものを感じながら僕はいった。

「君には関係ないことだ。二人とも来たまえ。私のオフィスで話しあおう」

粕谷は表情を変えずに答えた。いずみが硬い表情で立ちあがる。

僕は怒りをこらえ、それにつきあった。

2

そこは、カフェテリアの三階上、建物の最上階である二階の部屋だった。

きのうの夜の〝散歩〟で見た、横長の倉庫のような建物に、僕がいることが、それでわかった。つまりは、ここが〝本部〟だ。

角部屋にあたるその部屋からは、上り坂に沿って立ち並ぶ、町が見えた。

巨大なデスクがあり、ファックスや無線機が並んでいる。コンピュータの端末機もデスクの上にあった。

僕といずみは、デスクに面したソファに並んで腰かけていた。デスクとの間に、巨大な地球儀がある。地球の大きさは直径一メートルほどもあった。

粕谷はデスクの上で指を組み、僕らを見つめた。

「どうやら互いに理解しあったようだね」

「テストじゃないですね、これは」

いずみが低い声でいった。

「テストではない。この冴木隆くんは、本物のルーキーであり、タウンのことは何も知らない。従って君が教えない限り、このタウンのどこに何があるかすら、わからない」

いずみは僕を見、それから粕谷に目を移した。

「わたしは何をすればいいんですか、校長」

「隆くんの希望で、彼のアシスタントを務めてもらいたい」

いずみは半信半疑で粕谷を見つめている。

「この部屋には盗聴器はない。君が考えていることをそのまま口に出したとしても、成績には響かない。安心したまえ」

「この人に何をさせるんです？」

粕谷は、僕といずみを比べ見た。

「連続殺人犯を捕える手伝いをしてもらう」

「待った」

僕はいずみが何かいうより早く、口をはさんだ。

「殺人犯を見つけたら、僕と彼女を自由にしてもらう」

「どういう意味だね」

「そういう意味。僕はこの町を出る。彼女が出ていくかどうかは、彼女が決める」

「いずみには、この町以外に故郷はない」

粕谷は冷ややかにいった。

「それは彼女が決めることだよ。今、答える必要はない」

いずみが何かいいそうになったので、僕は早口でつづけた。

「犯人がつかまった後、彼女が決めればいいんだ」

粕谷は苦笑した。

「君は取引を申しこめる立場ではない」

「そうかな。あんたいったじゃないか。この町には、信用できる人間は、僕しかいないって」

粕谷は息を吸いこんだ。

「考えさせてもらおう」

「もう充分、考えたはずだよ。誘拐された挙句、むりやり詰めこみ教育されてスパイなんかになるのは真っ平だ」

「君がそういう申し出をするのはわかっていた」

「だったら、なおさらさ」

「自信があるようだな、犯人を捕える」

「全然」

僕は首を振ってみせた。

「だけど、僕は犯人を見てる。犯人だって今頃は、僕に見られたかもしれないと考えてるさ」

犯人が本物の保安部員なら当然だ。

「自分を囮《おとり》にするつもりかね」

「それしか方法がないのなら」

「いい度胸だな。相手は君も認めるようにプロだぞ」

「だから彼女をつけてもらった」

僕はいずみを見た。いずみは驚いたように僕を見た。

「いずみは、まだ教育生だ」

「でもプロの卵だ」

「彼女に君を守らせるというのか」

僕は頷《うなず》いた。

「よほどいずみを気に入ったようだな」

粕谷は皮肉たっぷりにいった。

「そうじゃない。彼女だけなんだ、この町で僕が信用できるのは」

僕はまっすぐに粕谷を見つめ、いった。

「ちがうかな？」

僕の視線を粕谷はそらした。

「よかろう、好きにするがいい」


「本当に、わたしがあなたを守れるなんて思ってるの？」

保安部のランドクルーザーに乗せられて〝我が家〟に戻ってくると、いずみはいった。

〝お母さん〟はいなかった。芝居が終わり、舞台から降りたのだろう。二人きりの〝我が家〟は、妙にがらんとしている。

僕らは一階のダイニングテーブルで、向かいあってコーヒーを飲んでいた。

僕は肩をすくめた。

「相手はプロだよ。あなたも見たでしょ」

「殺された人たちもプロじゃなかったのかい」

いずみは唇をかんだ。

僕は粕谷から〝本部〟を出がけに渡された犠牲者のリストを広げた。

最初に殺されたのは、通称「天使《エンジェル》のピータースン」こと、ゲオルグ・ラインハルト、六十五歳、東ドイツ人とある。一緒に三十歳年下の奥さんと二歳の坊やも殺されている。ラインハルトの正体は、東ドイツが西ドイツへ「亡命」させ、アメリカに送りこんだスパイ。その後、アメリカで奥さんと知りあってスパイ稼業が嫌になり、祖国を裏切って、アメリカに寝返った。ＣＩＡに協力したあと、仲間の報復を恐れ、安住の地を求めて、タウンに来た。

コンピュータのプリントアウトにはそう記されていた。

一読して、ヤバい！　と僕は思った。リストの一枚目を無言でいずみに手渡した。案の定、いずみも目を走らせると、蒼白《そうはく》になった。

「校長はなぜ、こんなものを……」

「僕たちをこの町から出す気なんかないってことだよ。住人の過去は、こういう町ではトップシークレットのはずじゃないのかい」

「そうよ。互いに詮索《せんさく》せず、知らんふりをすることになっているわ。たとえ隣にひっこしてきた人にだって、相手のいう自己紹介以外のことは訊《き》かないのが決まりなの」

大きく溜《た》め息をつき、ピータースンのリストを見つめた。

「ピータースンさんが本当はドイツ人だったなんて、わたしまるで知らなかった」

僕はつづきのリストを読んだ。

「二番目に殺されたのもドイツ人だよ。八十歳になる爺《じい》さんで、名前はケーニッヒ。ナチス・ドイツのユダヤ人虐殺容疑で国際指名手配されていた戦争犯罪人だって」

いずみは無言で頷いた。僕は次々に読み進んでいった。

ゴドノフといずみがいったのは、アレクセイ・ゴドノフ。反ソビエト活動の工作員として、アメリカがポーランドに送りこんだスパイだった。年齢は六十三歳。一九五〇年代に、ポーランドで破壊工作活動を行ったが、正体がばれそうになり、身代わりの死体を残して脱出。しばらくイスラエルに住んでいたが（アメリカが好きではなかったらしい）、気候があわず、イスラエルを出てこの町《タウン》にやって来たとある。

最後が、僕が死体を発見したリーだった。本名はグエン・ヨシムラ、日系ベトナム人、五十八歳。ベトナム戦争当時、南にも北にも情報を流し、私腹を肥やした。その後、東南アジアを中心にフリーランスの殺し屋として活躍した。毒殺を得意とし、暗殺に使う毒物を自ら栽培した植物から採取するのが好きだった、という。殺人の容疑で東南アジアの四つの国から手配されていた。

「四人が四人とも立派な過去をお持ちだ。この町を一歩出たら、いつ殺されたっておかしくないよ」

僕はあきれていった。裏切り者のスパイにナチスの戦犯、破壊活動専門の工作員に、フリーの殺し屋ときた。この町には、人から恨まれる筋あいのない人間なんてひとりもいないのだろう、いずみのような教育生をのぞいては。

「じゃなければ、こんな町には来ないわ」

いずみはつぶやくようにいった。

僕はいずみを見つめ、煙草をくわえた。こうなれば堂々と吸える。

「君はどうして来たんだい」

「わたしはハワイの孤児院にいたの。海と青空に恵まれた素晴らしい土地だけど、わたしには未来の夢なんてなかった。ステーツよりも日本で暮らしたかった。わたしの両親の、少なくとも片方は日本人だったから。でもお金もないし、行けっこないだろうと思ってた。そこへ校長が現われて、わたしを引きとるといったの。校長は、死んだお父さんの友達だったといったわ。それに日本人だった……」

「いつ頃の話？」

「一年半前」

いずみは僕を見た。

「この町はできてどれくらいたつんだろう」

「さあ……。でも十年はたっていると思うわ」

「校長の他に、この町を牛耳っているのは誰だい？」

「わからない。わたしたちの前には、責任者として現われるのはいつも校長だけよ」

「この町を作るお金はどこから出たんだろう」

「最初にやって来た人たち。それに今は、世界中のいろんな国が出してるわ。たとえば、スパイを送りだしたいのだけど、養成する施設のない国や、この町の卒業生を使いたい国、あるいは、将来ここにやって来るつもりで、こっそり自分の所属している組織のお金を着服して送金してくる人たち」

「そんな奴までいるのか」

「みんな、他人を信用できない人たちばかりよ。ここは、お金さえだせば、法律や愛国心に縛られることがない」

アイコクシン！　自分と同じ年の女の子の口からそんな言葉を聞くと、どきっとする。生まれてこのかた、僕は「愛国心」なんて、口にしたこともない。

「外部との連絡は、いったいどうやってとっているんだい」

「原則として、町の事業に関わらない外部との連絡はすべて禁止よ。電話は、互いの家にかけあうだけにしか役立たない。もし外に連絡をとりたい場合は、本部にかけ、本部からつないでもらうの。それも本部がオーケイをだした場合に限るけど」

「交通は？」

「空港と港がある。この町がいったい地球のどのあたりにあるのか、教育生は〝卒業〟するまで教えてもらえないわ。だからわたしも知らない」

「いったいどんなことを習っているんだい、学校では」

「尾行のしかた、まき方、暗号の解読、外国語、外国人に化ける方法、無線機の組み立て、分解、海や山、砂漠でのサバイバルテクニック……」

「だからあんなにバーベキューの火起こしも手際がよかったんだね」

いずみは悲しそうに微笑んだ。

「まだあるわ。銃の撃ち方、ナイフの使い方、素手で、毒を使って……人を、殺す、方法……」

語尾が小さくなった。まるきりスパイ養成場だ。日本史や数IIより面白そう、なんて僕にはいえなかった。

人に自慢したり、大学入試に役立つ勉強ではないのだ。いずみがこの町で学んだことは、すべて、この町を出たあと実践を強いられるものばかりなのだ。

人を殺す方法なんて、心から楽しくて学ぶ人間はいやしない。ぞっとする。たとえ勉強しても、実際にするのは真っ平だ。人殺しになりたい人間など、いるわけがないのだ。

「キモチ悪いでしょ、女の子のくせにって……」

いずみは今にも泣きそうだった。僕ははっとした。たとえこの町では〝常識〟でも、外部からやって来た、それも男の子に、こんな話をするのは、彼女にとってすごくつらいことにちがいない。

「君がなりたくてなったんじゃないさ」

僕はいった。

「ありがとう」

涙をためた目で、いずみは微笑んでみせた。

それを見て、僕は思わず抱きしめてやりたい気持にかられた。だが、それを懸命にこらえた。

今は、そんなときではない。

僕といずみは、これからふたつの敵——この町と、殺人鬼——と戦わなければならないのだ。

「——これからどうするの？」

僕が無言でコーヒーを飲んでいると、目もとをぬぐって、いずみが訊《たず》ねた。

「僕らが釈放されたことは、保安部の人間すべてに知れわたっているだろうな」

「そうね……」

僕は顔をあげた。

協力をしてもらう、といった粕谷は、なぜ僕らを解放し、もといたこの家に帰したのか。

理由はひとつ、僕らを囮《おとり》にするためだ。だが今のところ、襲ってくるかもしれない犯人を待ち伏せる兵士の姿はない。

「ちょっと外へ出ないか。ずっと建物の中ばかりにいたから、くさくさしてきちゃったよ」

　僕はいった。

　いずみは一瞬、不思議そうな顔をしたが、僕のきっぱりした口調に、立ちあがった。

　僕らはコーヒーカップを手に、家を出た。

　玄関の前の芝生にすわった。

　西陽が傾き、家々の長い影が、整然とした区画を横切る道にさしかけている。

　僕は新たな煙草に火をつけ、あたりを見回した。

　監視を思わせる、車や人物の姿はない。

　いずみは僕の隣にすわり、両膝《ひざ》をかかえた。膝の上に顎《あご》をのせ、ぼんやりと緑の芝生を見つめている。

「……監視されてるのね」

　低い声で彼女がいった。

　さすがに訓練を受けているだけのことはある。僕の懸念を読みとったのだった。

「多分」

　僕はいずみの方は見ずに、コーヒーカップを口にあてながらいった。

「そうね。家の中には盗聴器と隠しカメラがあるわ」

「見つけたのかい」

　僕は向かいの家の裏庭を見やっていった。

「うん。でもわかる」

芝生の葉先をつんつんとむしりながら、いずみはいった。

向かいの家の裏庭にあった自転車がなくなっていた。窓にはカーテンがかかっている。

「それだけかな」

カーテンがちらっと揺れた。

「近所の家にも人が入っているかもしれない。望遠レンズを使って監視していると思うわ」

「だけど、校長は誰も信用できない、といった」

「彼にはボディガードがいるわ。ひとりは日本人で、ひとりはプエルトリコ人よ。ふたりともこの町の卒業生。わたしと同じように、校長に拾われて育てられたの。そのふたりだけは、校長に忠誠をちかってるはずよ」

青山のクラブ「レジーナ」に連れてきた二人組にちがいない。

「そいつらを使って、僕らを監視させていると……？」

いずみは無言で頷《うなず》いた。

陽は急速に落ち、長くなった家の影に、宵闇が重なり始めた。

「少し寒くなったわ」

いずみがつぶやいた。

「中に入ろうか」

「もう少しここにいたい」

僕は頷いて、ヨットパーカーを脱ぎ、いずみの肩にかけてやった。

「ありがとう、お兄ちゃん」

いずみがにっこりと笑った。

僕は笑い返し、煙草に火をつけた。

「日本の高校生は、みんな煙草吸ってるの」

僕は煙にむせた。

「そんなこと、ないよ」

「じゃあ、お兄ちゃんは、悪い高校生なの」

「少しだけ、ね。今は健康のため煙草をやめるのが、新しいかな」

「お酒は？」

「たまに飲むよ。ビールは好きだな。コーラより、本当はビールの方が好きさ」

「お酒は飲んでいいの？」

「いや、煙草も酒も、一応、法律じゃ禁止されてるよ。ただ、うちはね……」

「お兄ちゃんの家って、どんな感じ？」

「家ってほどのものじゃない。親父と僕のふたりだけさ」

「お父さんはどんな人？　優しい？　おっかない？」

「ひと言で言えば、いい加減。世の中の父親像に比べると、デタラメな奴」

「どうして？」

「働くの嫌い、遊び好き。バクチ、女、大好き。向上心はまるでないし」

「じゃあ、お父さんのこと嫌い？」

僕は首を振った。

「なんていうかな、自分の親父に対していうのはおかしいけど、ニクめない奴っているじゃない。あれ」

「ふうん」

「日本語は、両親に習ったの？」

「そう。それに、テレビ」

「テレビ？」

「日本のいろんなテレビドラマのビデオを見て勉強したの。わたしが一番化けやすいのは日本人だから、学校では、まず日本人の普通の女の子に化ける方法を勉強させられたわ。ヒットソングを覚えたり、原宿ではやってるファッションとか……」

「原宿か……」

ひょっとしたら地球の裏側にあるのかもしれない町のことを僕は思った。

「わたし、原宿に行ってみたい」

「原宿に？」

「日曜日になると、若い人がみんな来るんでしょう。そしてホ、コ、テ、ンで、歌うたったり、演奏したり、踊ったり……。それを見て、洋服買って、アイスクリームやクレープ食べて……。ビデオで見たの。わたしと同じくらいの女の子たちがいっぱいいて、そうしてた。行きたいなって、思った」

「行こう」

僕はいずみを見ていった。

「連れてってやるよ。バイクの後ろに乗っけて」

いずみの目が輝いた。

「バイク乗るの？」

「バイトして買った四百cc。休みの日は、よく海にかっ飛ぶ」

「いいな……」

「後ろに乗っけてツーリングに行こう」

「約束よ」

僕は頷いた。小指をからませたいところだが、監視役の連中にそこまでサービスすることはない。もっとも、監視している連中は、もっと過激なシーンを期待しているかもしれないが。

見られて燃えたいほど、リュウ君はノーマルなないに飽きちゃいない。だから今後、そういう展開があるとしても、この家では、なし。

僕らは立ちあがり、お尻《しり》をはたいた。

「腹が減ったな」

僕がつぶやくと、いずみはくるりと振り返った。

「わたしも。何か作るね」

「うん」

「食べたら、お兄ちゃんを案内したいところがあるの。つきあって」

「いいよ」

僕が頷いたので、いずみは家の中に駆けこんだ。

僕は向かいの家を見た。あたりはすっかり暗くなったというのに、明かりはついていない。

中に人がいるのは、見え見えだった。

僕は人差し指と親指で鉄砲を作り、さっきカーテンが揺れた窓を狙った。

「パーン」

監視者の見えない胸を撃ち抜くと、家の中に入っていった。

3

いずみが作ったのは、スペア・リブとサラダだった。冷蔵庫には、一週間は優にもつほどの食料の買いおきがあった。

久しぶりのビールを喉《のど》に流しこみ、僕は手作りのリブを食べた。

「すごくおいしい」

「自信あるんだ、リブだけは」

自家製のバーベキューソースは絶品だった。僕らは指をしゃぶりしゃぶり、手づかみで食事を平らげた。

食事が終わると、いずみが洗いものをしている間、僕は自分でいれたコーヒーを手に、ソファにすわった。

親父がここを見つけださない限り、僕らに脱出のチャンスは乏しい。あの被害者リストを手渡した以上、粕谷に簡単に解放する気持がないことは明らかだ。

何とか、親父に連絡をとる手段はないだろうか。ここがどこであるかを知る手がかりをつかみ、島津さんでも「麻呂宇」でもいい、知らせるのだ。

僕の勘では、ここは、それほど日本から離れた場所ではないような気がしていた。少なくとも、南半球ではない。

どうしてわかったのか。それは、顔を洗ったり、シャワーを浴びたときの、水の流れのせいだった。

洗面台にためた水の栓を抜くと、水は左に渦を巻いて、排水口に流れこんでいく。もし南半球なら、これは右に渦を巻く。なぜそんなことを知っているかといえば、当然、飯のタネには何の役にも立たない雑学のホーフな、百科事典の元行商人、涼介親父から聞かされたのだ。

つづいて気候だ。もし北半球でも、日本に比べあまりに赤道に近いか、遠いと、もっと暑いか、寒くなる。どちらでもないところを見ると、緯度は、さほど日本と変わらない、というわけだ。

だが経度となるとお手あげだった。僕を運んでくる間に、腕時計を奪ったのは、この町との間に存在する時差をはからせまいとしたからにちがいない。

時差の幅によって、どれだけ日本と離れた土地であるか知る手がかりになるのだ。

植物相や星座で位置を測れるほど、僕は詳しくない。

僕は息を吐いた。

あとは港か空港、本部に忍びこんで手がかりを見つける他なかった。

「さて、終わった」

エプロンを外しながら、いずみがキッチンを出てくると、自分のカップを手にした。

僕は時計を見た。午後八時を三十分ほど過ぎている。

いずみは、僕をどこかに案内したいといった。が、夜間外出禁止令の時間帯になっていた。

「ビデオ見よ」

いずみはいって、テレビの下のビデオデッキに、MTVのビデオをセットした。

「バングルス」の特集が流れだす。

いずみはカップを手に僕の隣に腰をおろした。僕はリモートコントローラーでテレビのボリュームをあげた。

盗聴マイクは、これでお手あげのはずだ。あとは盗み撮りのカメラだが、喋《しゃべ》っている内容まで写すことはできない。

「案内してくれるというのはどこ？」

僕はテレビの画面に目を向けたまま、低い声で訊《たず》ねた。

「学校」

「どうやって行く？」

「これが終わったら、わたしシャワーを浴びるわ。二階のお風呂《ふろば》場の窓から外に出られるようになってるの。わたしがお風呂場に入って三十分したら、お兄ちゃんも、お風呂場に来て」

「わかった」

「そのとき、一階の明かりを全部消してきて。シャワーを浴びたあと眠ったのかもしれないって、監視役に思わせたいから……」

「オーケイ」

僕らはそのあと、しばらくビデオを見た。

いずみの、ミュージック・シーンに関する知識は、僕とそれほどズレがない。それだけ、外に出たときも正体がばれないよう、勉強しているからにちがいなかった。

MTVが終わりに近づくと、いずみが立ちあがった。

「シャワー浴びて、今日はもう寝る」

僕は頷《うなず》いた。

「おやすみ」

「戸閉まりだけ、気をつけて」

「わかった」

僕が答えると、いずみは階段を登って二階にあがった。

目配せすらしない。完璧《かんぺき》な演技だった。

僕はその演技にリアリティを出すために、冷蔵庫から新たな缶ビールを出すと、ソファに陣どった。MTVのビデオの次は、F1のビデオが待っている。

缶ビールの栓を開け、ほとんど飲まずに口だけをつけながら、時間のたつのを待った。

あっという間に三十分がたった。その間にフェラーリ・チームが、マクラーレン・ホンダを破った。

時間が来ると、僕はゲップをし、立ちあがった。ドアをロックして、明かりのスイッチを切る。

十時に数分を残していた。

二階にあがると、シャツのボタンを外しながら、バスルームに入った。

シャワーの水音がしていた。音を消すためにちがいない。

シャワールームのドアを開いた。くもりガラスの窓が外に向かって開いている。シャワーが壁に向かって熱い湯を吹きだしていた。

僕はしぶきがかからないように、窓べにとりついた。

バスローブの紐《ひも》をつないだロープがシャワーハンドルに固定され、外にのびていた。ほどけないよう、結び目は濡《ぬ》らされている。

下を見た。

二人乗りの自転車にまたがったいずみがこちらを見あげ、手を振った。肩にナップザックをかけている。

僕は靴を下から持ってこなかったことに気づいた。だが今さら取りに戻るわけにはいかない。

上半身を窓から出し、向きを変えて、紐をつかんだ。

紐の長さは三メートル足らずだったが、それにぶらさがってしまえば、地面との距離はさほどない。

僕は芝生の上に、楽々と着地した。

「乗って」

いずみが小声でいった。

僕は後ろのサドルにまたがり、裸足《はだし》でペダルを踏んだ。

いずみが裏庭に面した道に向け、自転車をこぎだした。

道に出ると向きを左に変える。二人で懸命にこいだので、自転車は瞬く間にスピードをあげた。

「あそこで右に折れるわ」

「そこで左」

「しばらく、まっすぐ」

自転車に乗っている間、いずみはまったく無駄な口をきかなかった。

自転車は闇に沈んだ町並みを縫って疾走した。ブレーキも音がたたぬよう、しっかり油が差されている。

いずみのポニーテイルが夜風になびいて、僕のすぐ鼻先にあった。そこから匂う、いい香りを胸いっぱいに吸いこみながら、僕はペダルをこぐことに専念した。

「着いたわ」

いずみが自転車を止めたのは、金網で囲まれた、海に近い方角の建物の前だった。

さほど大きくはないが、敷地全体をフェンスが囲み、ゲートには南京錠で留めた鎖がはり渡されている。

グラウンドのようなだだっ広い敷地の奥に、カマボコ型をした兵舎のような建物があった。

「ここが学校?」

「そうよ」

いずみは自転車を降りると、ナップザックを肩からおろした。中から耳かきのような金属棒を取りだし、ゲートの南京錠にさしこんだ。

ほんの数秒で、ピン、と音を立てて南京錠は外れた。

ゲートを開いたいずみに、自転車の前に移った僕はペダルをこいだ。

「待って」

いずみが止めた。

「このゲートは見せかけなの。中には赤外線センサーが通っているわ」

「ぎょぎょ」

いずみは手早くナップザックから、サングラスに似た眼鏡を取りだした。

それをかけて見ると、ほの白い光がレーザービームのように、建物とフェンスの間を走っている。

「ひっかかると警報が鳴るわ」

僕は肩をすくめた。見てくれは、なつかしの我が都立K高校の方が立派だが、警備システムではとてもかなわない。

「地雷なんかもあったりして」

「授業用のものがひょっとしたら、幾つか埋まってるかもしれない」

僕はぽかんと口を開けた。いずみの顔は真剣だった。

「わたしが先に中に入って赤外線のスイッチを切るわ」

赤外線感知グラスをかけたいずみがまず、校内に入った。自転車は、パトロールに見つからないよう、僕が近所の家の植えこみのかげに隠した。その家は空き家なのか、もう寝入っているのか、窓は暗かった。

僕は植えこみのところにとどまって、いずみの姿を見つめた。

フェンスの入口から建物までは、二百メートルほどの幅があり、コンクリートの道が一本通っているが、そこは赤外線が密に走っているのか、いずみはほとんど歩こうとしなかった。他の部分は、芝生と土の地面の面積が半々といったところだ。

ひょっとしたら、いずみが地雷を踏むかもしれないと思うと僕の背中には、汗が吹きだした。

そうまでして、なぜいずみは、僕をこの学校に案内しようとするのか。

慎重にいずみは、一歩一歩進んでいた。ゆっくりとした歩みだが、全身に緊張がみなぎっているのがわかる。

この学校で赤点をとることは、どうやら即、死につながるようだ。いずみは、そういう点では、好むと好まざるとにかかわらず、優秀な生徒だったのだろう。

目に見えないリンボーをくぐったり、ゴム飛びをするように大きく足を開いて、赤外線をくぐり抜けるいずみを見ながら、僕は思った。

いずみが建物までの道のりの半ばまで来たときだった。

車のエンジン音が聞こえた。僕は息を詰めた。

音は、僕がいる家の裏側の通りから聞こえてくる。

パトロールだろうか。

いずみが立ち止まり、僕を振り返った。月明かりに浮かぶ顔が、蒼《あお》ざめている。

僕は進め！　というように手を振った。

植えこみから走りでると、フェンスのゲートに再び鎖を巻きつけた。そして、一見、鎖を留めているようで、実は留めていない位置で、南京錠をかけた。

エンジン音は大きくなっていた。

僕はいずみを見た。

いずみはできる限り急いで、残りの道を進んでいた。

頼む、間にあってくれ。

道を振り返ると、スポットライトをつけたランドクルーザーが、こちらに折れようとしていた。パトロールだ。

もし間にあわなければ、前に飛びだしてでも、いずみから注意をそらそうと決心した。

いずみは建物まで、あと十数メートルのところまで行っている。

植えこみのかげにとびこんだ。

ランドクルーザーがフェンスに面した道に向きを変えた。

さっとヘッドライトが道にさした。スポットライトは、グラウンドに向けられている。

急げ、急ぐんだ。

スポットライトの光がゲートに達した。鎖に異状がないかを確かめるように、念入りに照らしている。

そのすきにいずみが建物のかげに入った。

次の瞬間、ライトはグラウンドをなめた。

ほっとしたのもつかの間、不意にスポットライトがくるりと向きを変え、僕の隠れている植えこみを照らしだした。

僕は、ばたっと地面に伏せた。口の中が乾き、てのひらが汗ですべった。

ゆっくりとランドクルーザーは、僕のいる植えこみの方に近づいてきた。

僕はほとんど落ち葉の中に顔をつけ、動かなかった。

ランドクルーザーが通りすぎた。光が頭上をよぎっていく。

そっと顔をあげた。

ランドクルーザーには保安部員がひとりしか乗っていなかった。もともとひとりなのか、何かの都合で相棒が欠けたのか。

運転をしながら、スポットライトも動かしているようだ。

そのおかげで助かった。もし二人組なら、発見されたかもしれない。

ランドクルーザーはフェンスの端の方まで進むと、左折した。

赤い尾灯が見えなくなるのを待って、僕は身を起こした。

全身が汗で濡《ぬ》れているというのに、喉《のど》がからからに渇いていた。

フェンスに近よった。建物のかげからいずみが首をのぞかせた。白い手が振られ、おいでおいでをする。

僕はゲートの鎖を解くと、フェンスの内側に入った。赤外線警報装置のスイッチをいずみは切ったようだ。

コンクリートの道にいずみは立って、僕を待っていた。

「危なかったね」

「鎖を留めておいてくれて助かったわ」

「アマチュアでも頼りになる？」

いずみは小さく笑った。

「お兄ちゃんの方がよっぽどプロよ」

「行こう」

いずみは頷《うなず》いて、踵《きびす》を返した。

コンクリートの道のつきあたりには、観音開きのガラスドアがあった。いずみはその前にかがみこむと、例の耳かき棒で錠を外した。

錠前破りも必須《ひっす》科目なのだろう。落ちついていて、少しも危なげのない手際だ。

ドアを開くと、いずみはナップザックから細身の懐中電灯を取りだした。

「入って」

そこは、天井の高い、ホールのようになった部屋だった。放射状に三本の廊下が奥に向かって進み、闇に包まれた空気はひんやりとしている。

「こっち」

いずみは一番左の廊下を先に立って進んだ。裸足《はだし》の裏に、リノリウムをしいた床が冷たい。

廊下には、いくつかの小部屋があった。それぞれ異なった言語で書かれたプレートが掲げられている。部屋の内側をのぞけるような窓はひとつもない。

つきあたりには下り階段があり、いずみはそれを降りた。

「また地下室かい」

「理由があるの」

「閉所恐怖症になりそう」

階段は一枚のドアのところで終わっていた。それまでの部屋とはちがう、厚いスチールの扉だ。

いずみは懐中電灯をくわえ、その前にかがみこんだ。

そのドアのロックには手こずったようだった。今までの倍近い時間をかけ、ようやくいずみは、取っ手式のノブを下に押しさげた。

ズズッという重い音を立てて、ドアは内側に開いた。

厚さが二十センチ以上もある、厚い扉だった。僕らが中に入ると、いずみは扉を内側から閉めた。

壁ぎわにあったスイッチを、いずみが押した。

天井に埋めこまれた蛍光灯がパチパチと瞬いて点《とも》った。

そこは、金魚鉢のようなガラス張りの小部屋だった。もう一枚の、ガラスのはまったドアの向こうに、奥へとのびる細長い部屋がある。

部屋の手前側には腰の高さのカウンターがのびていて、約一メートル間隔で仕切りが天井にまで走っている。仕切りの数は、全部で十あった。

それを見ていると、いずみがこちら側の部屋の壁に埋めこまれたロッカーに歩みよった。

ロッカーの扉を開いた。

僕は息を呑《の》んだ。

ロッカーの中には、ずらりと、さまざまな種類の銃が並んでいたのだ。

4

「これはベレッタのM92F、アメリカ軍がコルト・ガバメントに代わる制式拳銃《けんじゅう》として採用したものよ。口径は九ミリ、装弾数は十五発、ダブルアクション機構をとりいれ、速射性に優れた銃といわれている」

いずみは仕切りに吊《つ》るされたヘッドフォンのようなイア・プロテクターを僕にさしだ

した。

「かぶって」

僕が従うと、いずみも別の仕切りから持ってきたイア・プロテクターをはめた。

いずみは手もとにあるスイッチを入れた。人体型の標的紙がするすると、細長いシューティングレンジの奥へと吸いこまれていく。

十五メートルほど遠ざかったところで、標的紙はストップした。

いずみはわずかに息を吸い、ずんぐりとしたオートマチックを両手で構えた。

ボム、ボムというくぐもった銃声がイア・プロテクターを通して耳に伝わった。目にもとまらぬスピードで、オートマチックのスライドが後退し、きらきら光る薬莢《やっきょう》が宙を舞った。十五発詰まった銃が空になるまで、ものの数秒とかからなかった。

撃ち終えても、いずみはしばらく銃を構えたまま動かなかった。やがてゆっくりと、それを下におろし、スイッチを操作した。

いずみの腕がどれほどのものであるか、標的紙が手もとにくる前にわかった。

全弾が人体型標的紙の胸あたりに命中していた。いずみは無表情でそれを見つめた。

「すごい」

ちらっと微笑んだ。

「次はこれ」

今度は、いずみは足もとにおいてあった小さなサブマシンガンをカウンターにのせた。

「ヘッケラー・アンド・コックMP5S、今のベレッタと同じ九ミリ拳銃弾を使うサブマシンガン。セミオート、フルオートの切り替え機能がついていて、サイレンサーも装着できる。このマガジンは三十発入りだけど、一分間に発射できる弾数は、七百五十発。つまり、引き金をひきっぱなしだったら、二秒ちょっとで全部の弾丸を撃ちつくしてしまうわ」

いずみの口調は淡々としたものだった。別の標的紙をセットし、再び奥へと送りこむ。

「プロテクターをはめて」

いって、いずみは腰の少し上あたりでサブマシンガンを構えた。

ブルブルッ、ブルブルッという掘削ドリルのような音とともに、銃口から炎が噴いた。

いずみの指が小刻みに引き金を操作し、三回に分けて、弾丸を撃ちつくした。

標的紙は、あらためて戻すまでのこともなかった。胸の位置で、まっぷたつに引き裂かれていた。

「サイレンサーをつければぐっと音は静かになるわ」

いずみはいって、ほっと息を吐き、カウンターの上に銃をおいた。床の上には、きらきら光る空薬莢が、足の踏み場もないほど散乱している。

「これをどうするんだい？」

「持って帰るの。犯人はまちがいなく武装している。そうでしょ」

僕は頷いた。

「君は、犯人を本物の保安部員だと思うかい？」

「可能性はあると思うわ。でも、この町では、教育生を別にすれば、ほとんどの人間が銃かナイフを持っているわ。皆、一度や二度は、人を殺したり、殺されかけた人ばかりだもの」

僕は、本名をグエン・ヨシムラという、隣組のおっさんの死体を思い浮かべた。おっさんは、パジャマ姿で死んでいた。だが、近くに銃やナイフはなかった。

「リーは、争った様子はなかった。多分、知りあいに撃たれたんだと思う」

いずみは頷いた。

「死んだ四人は、それぞれ殺されても仕方がないような過去を持っていた。でも、同じ人間に殺されるだけの理由はあるかしら」

「誰かに雇われた殺し屋がやったとしたら？」

僕はいった。

「でも、雇った人には、四人に対して共通の恨みがあったことになるわ」

「そうか……」

僕は考えこんだ。四人に共通するものは何だろうか。

祖国を裏切った東ドイツ人のスパイ。

ユダヤ人を虐殺した元ナチス。

ポーランドで破壊活動を行ったロシア系のアメリカ人。

金で動く情報屋から、殺し屋になったベトナム人。

ロクな人間じゃなかったことを別にすれば、共通点などありそうにない。

「ドイツ人が二人、アメリカ人がひとり、ベトナム人がひとり……」

僕は首をひねった。

「皆殺しにするつもりなのかな、この町の人間を……」

「だとしたら、爆弾を使うとか、もっと効果的な方法があるわ。飲料水の貯蔵タンクに猛毒をしこんでもいいし」

プロの卵だけのことはあって、いずみはブッソウなことをいった。

だが渡されたリストを読む限りでは、四人を殺そうと考えるような一人の人間がいるとは思えなかった。

「犯人はこの町の住人だ。それはまちがいない。外部から忍びこんでも、目的の人物がどの家に住んでいるかなんて、わかりっこないのだから」

「じゃあ、この町で暮らすうちに、その四人を殺してやろうと思った？」

「そう。この町に来る前の過去じゃなくて、この町に来てから、殺意を抱くようなことがあった」

「でも、住人同士のコミュニケーションなんて、ほとんどないわ」

「あの四人で、未《いま》だに現役の人間はいたんだろうか」

ピータースンこと、ラインハルトは六十五歳。

元ナチのケーニッヒは八十歳、これはいくら何でも年寄りすぎる。ゴドノフは六十三歳。リーこと、グエン・ヨシムラは五十八歳。

「わからないわ」

可能性があるとすれば、グエン・ヨシムラくらいのものだ。

「校長なら知ってるかもしれないけど……」

そうだ。粕谷なら、きっとこの四人に共通する何かを知っているかもしれない。

「そろそろ引きあげよう」

僕はいった。いずみは頷《うなず》いて、弾丸の箱と拳銃、サブマシンガンを次々とナップザックにしまいこんだ。

「そいつは僕が持とう」

重そうなナップザックに、僕はいった。

いずみは僕を見た。

「いざっていうとき、この中味をお兄ちゃんは使える？」

「わからない。できれば使いたくない」

僕は正直にいった。

「わたしもそう。射撃の訓練は大嫌いだった。成績は悪くなかったけれど。でも、お兄ちゃんとわたしの命を守るためだったら、わたしは使うわ」

いずみは僕を見つめ、真剣な口調でいった。僕は頷いた。

「わかった。君が持っててくれ」

僕が先にフェンスの外に出るのを待って、いずみは赤外線警報装置を作動させた。再び、目に見えないビームを縫い、学校の外側へと脱出する。

ゲートの鎖に南京錠をかけ、僕らは自転車にまたがった。

パトロールと出くわさないよう注意しながら、全速力で〝我が家〟に向け、つっ走る。

この角を折れれば、〝我が家〟の裏庭に面した通りに出る、というところまで来たときだった。

不意にいずみが、自転車のブレーキをかけた。

下を向いてペダルをこいでいた僕は、思わず顔をあげた。

「どうしたんだい」

いずみは答えず、じっと前方を見つめている。

僕はその視線の先を追った。

一軒の家の前に、車が止まっていた。ライトを消し、無人のように見える。

車は普通の乗用車——古いＢＭＷだった。

「さっきはなかったわ。それにあそこは空き家よ」

いずみは低い声でいって、ナップザックを肩からおろした。

そっと、音を立てないようにサブマシンガンを取りだすと、マガジンをはめこんだ。

見張りのいる家は、その通りとは筋ちがいになる。〝我が家〟に戻るには、どうしても、そのBMWの前を通らなければならない。

さもなければ、見張りのいる家の前を通ることになる。

「どうする?」

僕は囁《ささや》いた。

見張りの家の前を通れば、僕らが外出していたことがばれてしまう。当然、護身用の銃を手に入れたこともだ。

だがBMWが、もし犯人の車で、僕らを待ち伏せているのだとしたら。

「全速力で前を駆け抜けよう」

僕はいった。いずみは頷いた。

「じゃあ、前に代わって」

いずみはすでにサブマシンガンを構えていた。もし、車の中やかげから狙い撃ちされたら、すぐに撃ち返すつもりなのだ。

僕はいずみと交代して、前のサドルへと移った。

ハンドルを握る手に、再び汗がじっとりと浮かんだ。

このまま自転車をこいで、東京まで帰れたら、どんなにいいだろう。

いずみがいなかったら、こんな生活、もうイヤ、と叫びだしたいくらいだ。

「行くよ」

僕は低い声でいった。くたびれて、ひりひりする足の裏に思いきって力を送りこむ。

いずみがあわせてこいだ。ペダルが少し軽くなった。もっと強くこいだ。

もっとペダルが軽くなった。

夜風が耳もとで音を立てた。

BMWは、もう、ほんの百メートルほど前方の右側まで迫っていた。

頭をさげ、ペダルをこいだ。

BMWが近づいてくる。

ペダルが重くなった。いずみが狙撃《そげき》に備えて、注意をBMWに移したのだ。そのぶんを懸命にこいだ。

息が切れる。足の、膝《ひざ》から下は、ほとんど感覚がない。

BMWは、もう数メートル先だった。

さしかかった。

僕も思わずBMWを見ていた。車内はまっ暗だ。ウインドウも全部閉まっている。

人はいない。

そのときだった。

前方からいきなり、鋭い光が浴びせかけられた。

僕は前を見た。

いつのまにか、すぐ目の前に、前方を塞《ふさ》ぐようにランドクルーザーが横向きに止まっていた。

他の家の庭先につっこんでいたのが、出てきたのだ。

屋根にとりつけられたスポットライトの強烈な光が目を射た。

危なく、ランドクルーザーの横っぱらにつっこみそうになり、僕は急ブレーキをかけた。

同時に急ハンドルをきったので、僕らの自転車はバランスを崩し、ひっくり返った。

僕といずみは路上に投げだされた。

ガシャン、という音が響き渡った。

ふたりとも勢いで、地面に叩《たた》きつけられ、ごろごろと転がった。

衝撃で息が詰まり、気を失いそうになる。

それでも僕は必死に目を開いていた。いずみが、僕の少し前に倒れていた。サブマシンガンが飛び、いずみの手からはるか離れた場所に落ちている。

僕は唇をかんだ。

BMWは囮《おとり》だったのだ。

ランドクルーザーのドアが開いた。ブーツに包まれた足が降り立った。

ヘルメットをかぶり、保安部の制服を着けた男が無言で僕らを見おろした。

ヘルメットに隠された顔が、どんな表情を浮かべているのかまでわからない。

男はゆっくりと、落ちているサブマシンガンを拾いあげた。

僕は目を瞠《みひら》いて、見えないヘルメットの内側を凝視した。

こいつが犯人なのだろうか。

それとも、ただの保安部員か。

男の他には、ランクルに人は乗っていなかった。とすると、さっき学校の周辺をパトロールしていた奴か。

サブマシンガンの銃口が僕の胸に向けられた。

こりゃ駄目だ、僕は観念した。何のことはない、自分たちの身を守るつもりで手に入れた武器で殺される羽目になってしまった。

銃口がすっと胸をそれた。

「あい変わらずドジな奴だ」

男がいって、ヘルメットに手をかけた。

その声！　ひょっとして!!　まさか!!

ヘルメットの下から現われたのは、まさしく、マギレモナク、涼介親父の顔だった。

「親父！」

思わず僕は叫んだ。

親父はニタッと笑って、いずみを振り返った。

「さらわれても、ナンパの心だけは忘れてないらしいな」

「じょ、冗談じゃないよ」

僕はあわてて立ちあがった。痛む太腿《ふともも》をさすりながら、いずみに近づいた。ひと足先に、親父がかたわらにかがみこんでいる。

親父が額に手をのせると、いずみは呻《うめ》いて目を開いた。

その焦点が親父の顔にあった瞬間、いずみは、はっとしたようにはね起きた。右手がナップザックにのびた。

「大丈夫だ、お嬢さん。君に害は加えない」

親父が素早くいった。いずみは手を止め、かたわらに立った僕を見あげた。

痛みと嬉《うれ》しさで、妙な笑い方をしている僕を不思議そうに見つめた。

「どうしたの、お兄ちゃん」

「お兄ちゃん?」

今度は親父がおかしな顔をした。僕はニヤニヤ笑いをこらえきれず、いった。

「紹介させてもらうよ。このおっさんが、噂の、僕の親父さ」

「えっ」

いずみの目が広がった。親父と僕をあっけにとられたように見比べる。

「でも……どうして……」

「話せば長い。立てるかな?」

ちゃっかり親父は、いずみに右手をさしだしていった。いずみが親父の手を借りて立ちあがると、その顔を見た。

「ふむ美人だ。だが、お前にはぜんぜん似てないぞ。お母さんは何ていう？」

「あのね、今はそんなこといってる場合じゃないの。ぐずぐずしてると本物の保安部に見つかっちゃうよ」

「この制服の貸し主なら、後部座席でおねんね中だ」

「他にもパトロールはいるかもしれないわ」

いずみはいった。

「オーケイ、とにかく家に入ろう。あのBMWは親父のかい？」

「いや、俺がここに来たときには止まっていた」

「親父はどうして、僕らがここを通ると……？」

僕が訊《たず》ねると、親父は親指を立て、一本向こうの表通りを指さした。

「反対側の通りに、奇妙な家が一軒ある。人がいるんだが、明かりをつけずに、ずっと外を監視している。ランクルで町を走り回っていて見つけたんだ。連中が、なぜ、どこを監視しているか調べようと思ってな。ひょっとしたら、お前を見張っているのかもしれんと思ったのさ」

「ビンゴ。その家の向かいが、〝我が家〟だよ」

親父は肩をすくめた。

「運がよかったたな」

「で、自転車に乗った僕らが見えたんで、現われたわけ？」

「よそ見をしてつっこんでくるから、てっきり暴走族の仲間入りをしちまったかと思ったぞ」

僕と親父のやりとりを、いずみはあきれたように見つめた。

「そんなことより、ここを離れないと」

「わかった。ランクルはここにおいて行こう」

親父はいって、倒れた自転車を起こしにかかった。

起こしかけ、不意に動作を止めた。

「どうしたの？」

「しっ。反対側の通りから音が聞こえた」

僕らは大急ぎで自転車をひきずって、ＢＭＷが止まっている空き家の裏にとびこんだ。

息を殺して通りをうかがう。

こつこつという足音が聞こえた。僕といずみは顔を見あわせた。

足音の主が、家と家の間をつっきって、ＢＭＷやランクルのある裏通りに姿を現わす。

ヘルメットをかぶり、制服を着けた保安部員だった。

そいつは、道のまん中に止められたランクルに気づくと、ぎょっとしたように足を止めた。

しばらく動かずに、ランクルを見守っている。

やがてゆっくりとランクルに近づいた。ドアごしに中をのぞきこむ。

「猿グッワとかかましてあるの？」

僕は親父に囁《ささや》いた。親父は頷《うなず》いた。その顔が、まずいことになったといっている。

もしあの保安部員が素っ裸で縛りあげられた仲間を見つけたら大騒ぎだ。保安部の制服を奪った侵入者の存在が明らかになってしまう。

保安部員がドアを開いた。

どさっと、パンツいっちょうで縛られた白人の大男が転げ出た。目を瞠《みひら》いて、仲間を見あげている。

保安部員が制服の内側に手を入れた。取りだした右手がきらっと光った。ナイフだ。

縛《いまし》めのロープを切るつもりか。

いずみが僕の腕をつかんだ。保安部員の右手が一閃《いっせん》したのだ。

喉《のど》を切り裂かれた裸の男が体をのたうたせた。血しぶきが飛んだ。

僕は息を呑《の》んだ。

あとから現われた男は、仲間を殺したのだった。

再会の銃弾

1

「やったな……」

親父が低い声でつぶやいた。

何てこった、僕は思った。親父が登場して、ほっとしたのもつかの間、本物の殺人鬼と出くわしてしまったとは。

ヘルメットをかぶった保安部員は、手早くナイフを死体のパンツでぬぐって懐にしまった。

「つかまえよう」

僕は囁いた。親父が驚いたように僕を見た。

「一一〇番じゃ駄目か？」

「駄目。粕谷と取引したんだ」

「奴の言葉を信用するぐらいなら、悪魔に金を貸す方がマシだぞ」

「とにかく見逃す手はないよ」

「仕方がない」

親父は首を振って、空き家のかげから足を踏みだした。

その間に保安部員は、BMWの運転席に歩みよっていた。

親父は別に急ぐふうでもなく、ぶらぶらと道のまん中まで出ていった。保安部員は気づいた様子もなく、こちらに背を向けBMWのドアに手をかけた。

「おい」

親父が低い声でいった。

保安部員の体が凍りついた。ゆっくりと親父の方を振り返る。親父はマサカリでもかつぐようにサブマシンガンを右肩の上にのっけていた。

僕のかたわらで、カシャッという音がした。いつの間にかいずみがナップザックから拳銃《けんじゅう》を取りだし、撃鉄を起こしたのだ。

「お前さんが何者かは知らんが、人殺しはちょいとマズいんじゃないか」

親父は立ち止まり、わずかに両足を開いた姿勢でいった。口調はノンビリしたものだが、体中に緊張感がみなぎっている。

保安部員はヘルメットの内側から親父を見つめ、無言だった。フェイスプレートの奥がどんな顔か、こちらからはうかがいようがない。

「ヘルメットを脱げ、ゆっくりとだ」

親父はいった。保安部員はぴくりとも動かなかった。親父は溜《た》め息をつき、同じ文句を英語でくり返した。

いずみが僕の横へ移動し、片膝《かたひざ》をついた姿勢で銃を構えた。銃口はまっすぐ保安部員を狙っている。

保安部員が革手袋をした手をゆっくりヘルメットにかけた。そのままヘルメットをじょじょに上に持ちあげる。

と思った瞬間、その右手が腰に吊《つ》るしたホルスターにのびた。いずみが持っているのと同じタイプの銃、ベレッタM92をホルスターから引き抜いた。

親父の右肩からすとん、といった感じでサブマシンガンが降りた。保安部員が発砲するより早く、そのサブマシンガンが猛烈な炎を吐きだした。

保安部員の体は仰《あお》向けに宙を飛び、BMWに叩《たた》きつけられた。粉々にガラスが砕けたドアに背をあて、ずるずると崩れ落ちる。

それでも保安部員は死ななかった。右手の銃をもたげ、親父を狙った。

僕のかたわらで、パンという鋭い音がした。保安部員の右腕がはねあがった。銃が空を舞った。

親父がくるりと振り返って、

「撃つな！」

と叫んだ。

僕は空き家のかげから飛びだした。これだけぶっぱなせば、まちがいなく他の保安部員がとんでくる。

いずみが青ざめた顔で、僕の横についてきた。少し離れたところで僕らは立ち止まった。

親父は人形のように路上にすわりこんだ保安部員の横にかがんでいた。制服の胸に幾つもの穴が開いている。これだけの弾丸を撃ちこまれて、まだ生きていられるのが不思議なくらいだ。

右肘《みぎひじ》にも弾丸が命中していた。いずみの放った弾だ。そこから血がにじんでいる。

親父がヘルメットをむしりとった。見たことのない金髪の男の顔が現われた。

男は力なく息を吸い、親父を見あげると、英語の罵《のの》りをつぶやいた。

「信じられない。まだ生きてるわ……」

いずみが息を呑んだ。

「アバラの二、三本は折れてるさ」

親父がいった。

「どういうこと?」

「防弾チョッキだ。制服の下に着こんでいる」

僕は目をみはった。確かに、男の制服の胸は異様に盛りあがっていた。

「弾は貫通しないが、衝撃までは吸収できまい」

「だからわたしに撃つなと……？」

いずみが訊《たず》ねた。

「そう。胸とか腹ならいいが、頭を撃たれたら助からん。人殺しになってもらいたくなかったんでね」

そのとき金髪の男が立ちあがると肩から、親父の胸にぶつかった。たまらず親父が仰向けに倒れた。

男はそのまま背後のＢＭＷのドアを引き開けた。

「撃つんじゃない！」

再びベレッタを構えたいずみに親父は叫んだ。ＢＭＷに乗りこんだ男は左手でエンジンをスタートさせた。

僕ははっとした。親父の動きが変だった。妙に弱々しい。片手をついて立ちあがろうともがいている。

親父は怪我をしているのだ。

僕は親父に駆けよった。ＢＭＷがものすごいスピードで飛びだした。

はねとばされそうになった僕は危うくとびのいた。ウインドウが粉々に砕けたＢＭＷのハンドルを片手で操る金髪の男の顔がちらっと目の隅をかすめた。必死の形相だ。

「大丈夫!?」

いずみが親父の体を助け起こした。

「いてて。傷口が開いちまった」

僕はもう片方の親父の肩に手をさしこんだ。親父の傷は青山の撃ちあいのときに負ったものにちがいない。

「急いでこの場を逃げよう」

「やっぱりちょっかい出すべきじゃなかった……」

親父の言葉に僕は唇を噛《か》んだ。つい親父が怪我をしているのを忘れていたのだ。

「どこへ行くんだ？」

親父が訊ねた。

「〝我が家〟だよ。すぐそこさ」

大急ぎで親父の体を運びながら僕は答えた。

「監視されてちゃまずいだろうが」

「わたしが何とかする」

いずみがいった。そういえば、あの向かいの家の監視員は、なぜ飛びだしてこないのだろうか。銃声を聞いてすぐに来れば、とうにここにいておかしくない。

「どうやらその必要はないようだな」

親父がいった。〝我が家〟の裏庭までさしかかったときだ。

監視員が使っていた、向かいの家の裏口のドアが開け放たれていた。

僕はいずみと顔を見あわせた。

「頼む」

いずみに親父の体を預け、駆けだそうとした。

「リュウ」

親父の声に振り返った。親父がサブマシンガンを投げた。受けとった僕にいった。

「嫌だろうが、殺されるよりはマシだ。中に誰かいたら、撃て」

僕は唾《つば》を飲んだ。手にしたサブマシンガンは思ったより軽く、これにあれほどの破壊力があるとは、とても思えなかった。

「わかった」

僕は頷《うなず》いた。

「ガレージにいるわ」

いずみがいった。家の内部に監視カメラがあるとすれば、親父を連れこむわけにはいかない。

僕は返事の代わりに手を振り、マシンガンを持って通りを渡った。

開け放たれたドアのかげにさっとはりついた。耳をすます。

中からは何の物音も聞こえなかった。もう一度唾を飲み、カラカラの喉《のど》を湿らそうとした。

だが喉が鳴っただけだ。

僕は通りの向こう側を見た。ガレージのかげにひざまずいて、親父といずみが不安そうにこちらを見守っている。

決心して、僕は家の中にとびこんだ。

明かりはついている。

外から見える、中央の大きな部屋との境のドアが開いていた。

テーブルやソファなどの家具が部屋の隅に押しやられ、できた床の空間に寝袋がふたつ並んでおかれていた。

こちら側にテープレコーダーとテレビののったテーブルがある。テープレコーダーは止まっていたが、テレビは点《つ》いていた。テレビからはビデオデッキとつなぐコードがのびている。

僕はテレビをのぞきこんだ。ぼんやりとした暗い部屋が映っている。まぎれもなく〝我が家〟の一階の居間を映しだしていた。さっき消し忘れた、ビデオデッキの作動ランプが暗闇にぼんやりと浮かんでいた。

画面の状態で、僕は、テレビカメラがだいたいどんな位置にあるのか想像ついた。

二階に登る階段の途中だ。

僕はその家の中央に立って、あたりを見回した。監視役の人間の姿が見えない。

そのとき、ザーッという雑音がして、僕はとびあがりそうになった。音の聞こえた方角にマシンガンを向けた。

それは器材ののっている長テーブルの下から聞こえた。

「――本部よりミミズクへ、本部よりミミズクへ、その家の近くで銃撃戦との通報が保安部にあった。詳細を知らせよ。くり返す。本部よりミミズクへ……」

トランシーバーがテーブルの下に落ちていた。流れ出る声に聞き覚えがあった。粕谷だ。

トランシーバーを撃ちそうになった自分に腹が立った。

同時にサイレンが聞こえた。サイレンは街の中心部の方角からこの家の方へ向かっている。

「なるほど、確かにそのようだね」

僕はあてもなく呼びだしをつづけるトランシーバーに向かっていうと、その部屋を出た。監視役の人間はひとり残らず、家から消えていた。

ガレージに戻ると、僕は待っていたいずみと親父に、向かいの家の中の状況を話して聞かせた。

「妙だな。さっきまでは確かに家の中に人はいたんだが……」

親父は右のわき腹の少し上を押さえて呟《つぶや》いた。どうやら怪我はその位置らしい。

「テレビカメラは生きているようだったけど、テープレコーダーは止まってたよ」

「マイクが音を拾うと作動する仕組みなんだ。節電型の盗聴設備だ」

家の裏手は、次々とやってきた保安部隊でにぎやかだった。

「これからどうする？」

「とにかく身を隠さんとまずいわな。この制服は、殺されちまった男のものだ。見つかれば、俺が犯人てことになっちまう」

「家の中に入るかい？」

「それは駄目よ。校長は、何かおかしなことがあったと気づいてる。もしこの家に来られたら、すぐに見つかってしまうわ」

いずみがいった。

「じゃあ、どこへ……」

いずみは目をつぶり、考えた。ぱっと目を開く。

「リーさんの家がいいわ。あの家には地下室があるの。そこに隠れていれば見つからない」

「遠いのか」

親父が僕を見た。

「隣組」

「けっこう。移動しよう」

親父は頷いて身を起こした。今のところ、保安部隊は、家の裏側の通りを中心に警戒をつづけている。近所の人間の目も、裏通りに釘《くぎ》づけになっているはずだ。

僕らは表通りを、身を低くして進んだ。家と家の間からは、皓々《こうこう》とスポットライトで照らしだされた〝現場〟と、警戒にあたる保安部隊の兵士の姿が見える。仲間を殺され、皆殺気だった雰囲気でM16を構えていた。ランドクルーザーはざっと数えただけで、五台は止まっている。

リーことグエン・ヨシムラの家は、保安部の手で、ロックされていた。太い鎖と南京錠でドアを開けなくしてある。

いずみがものの数秒で南京錠を解除した。無言で見ていた親父は、あきれたように囁《ささや》いた。

「たいした娘だ。どこでナンパした？　中野学校か？」

僕は肩をすくめてみせた。だが考えてみると、町民の大半が、こういうスパイ技術のプロだと、戸閉まりなんてものはほとんど無意味に等しいのじゃないだろうか。

「こっち」

いずみは体を低くして、懐中電灯の明かりを外から見られないように家の中を進んだ。住人が皆殺しにされた、まっ暗な家の中を動き回るのは、あまり気持いいものじゃないが、この際、ゼイタクはいっていられない。

いずみは、僕が金髪の女性の死体を発見した部屋の方角に進んだ。ベッドがふたつ並んでいる寝室だ。

寝室の奥、狭い廊下のつきあたりの床を懐中電灯で照らしている。

「あったわ」

低い声でいって、床板におさまった小さなリングを指でひっぱった。五十センチ四方の四角い扉が持ちあがった。

「入って」

細い階段が地下に向かってのびていた。僕がまず先に降り、つづいて親父が、最後に扉を頭上で閉めたいずみが降りてきた。

いずみが壁にあった電灯のスイッチを入れた。裸電球が、コンクリートの壁を照らしだした。

十畳はある地下室の半分は、植物栽培用のガラス鉢で占められていた。巨大なガラス鉢には、水棲《すいせい》植物のような藻が一面に浮かんでいる。そのせいで、地下室の中は、じっとりと湿った空気がよどんでいた。

壁の片側は、造りつけの棚になっていて、手書きのラベルを貼ったガラス壜《びん》が何十本とおさまっていた。

棚の横には、大きな仕事机があり、スリ鉢や試験管、アルコールランプといった化学実験に使うような器具が並んでいる。どうやらリーは、ここで毒薬を調合していたらしい。

親父は、机の前の椅子に腰をおろし、息を吐いた。

「この家の住人は何者だ？　宮廷おかかえの魔法使いか」

「似たようなもの。不老不死の薬は作れなかったみたいだけどね」

僕がいうと、親父は片方の眉《まゆ》を吊《つ》りあげた。

「豚に化けて食われちまったか？」

僕は首を振った。

「頭を撃ち抜かれたんだ」

「どうやら人殺しがはやっているらしいな、この町は」

親父はいって、制服を脱ぎにかかった。いずみが手伝った。

制服の下の、自前のＴシャツに血の染みが広がっていた。右のわき腹のすぐ上だ。

Ｔシャツをまくりあげると、血のにじんだ包帯が胸に巻かれている。

「青山のドンパチで食らったんだ。骨と肉を少しばかり削られた」

「病院から抜けだしたらしいね」

「粕谷が教えたんだな」

「代わりの包帯を捜してくるわ」

いずみが上にあがると、僕は机の上の試験管をどかし、そこに尻《しり》をのせた。

「何があった？」

「何があったの？」

目が合うと同時に二人が口を開いた。僕は肩をすくめた。

「僕が先に話すよ。青山でドンパチに巻きこまれて気を失い、目が覚めたらここにいた。

薬を射《う》たれて運ばれてきたみたい。

一軒の家に住んでることになってて、いきなり〝お母さん〟と〝妹〟ができてた。彼女はその〝妹〟さ。名前はいずみ。うろうろしているうちに、この家の住人が殺されているのを見つけて、本部に連行された。そこにはあの、粕谷というキザな男がいて——

——」

「お前を優秀なスパイに育てるといった、か？」

「わかってるじゃん」

親父は無表情で頷《うなず》いた。

「そういう奴だ」

いずみが救急箱を手に戻ってきた。慣れた手つきで、親父の傷口を消毒し、新しい包帯を巻きにかかる。いっさい無駄口はきかなかった。

「この町では、僕が来る前も殺人が何件かあって、犯人が不明だった。ところが僕は、死体を発見する直前に、犯人らしい奴を見かけたんだ。そいつは、あんたが着てたのと同じ、保安部の制服を着ていた」

「で、俺を犯人だと思ったわけか」

「粕谷は——この町じゃ校長と呼ばれてるらしいけど——疑心暗鬼になってて、誰も信用できないと思っている。そこで、僕に犯人を捜せといいだした。要は囮《おとり》にするつもりだったのだろうけど……」

「監視役がいたのは、そのおかげだな」

僕は頷いた。

「町の中をうろつき回っている殺人鬼は、次々とこの町の住人を、家族ごと皆殺しにしているんだ。さっきのあの金髪が犯人にちがいないよ」

「何のために殺す？」

「見当もつかない。だいたい、この町というのが――」

「引退した行商人《スパイ》の町だろ」

僕は目を瞠《みひら》いた。

「知ってるの？」

親父は苦い顔で頷いた。いずみが包帯を巻き終えると、冷えた缶コーラを取りだした。

「ビールが欲しいところだが、まあ、贅沢《ぜいたく》はいうまい」

親父はいって、缶コーラを受けとった。

「ありがとう、いずみちゃん」

いずみはちらっと微笑んだ。

「じゃあこっちの番だな。そもそも俺と粕谷の関わりから話さなきゃならんようだ……」

親父は話し始めた。

2

「粕谷を俺の兄貴だといったこと、覚えてるか？」

「忘れるわけないよ」

いずみがあっけにとられたように親父を見つめた。

「奴と俺は、父親が同じだ。俺たちの親父は世界各地をうろうろしていた男で、俺は東京、奴はロンドンで生まれた」

「それって、お母さんはガイジンてこと？」

「粕谷はそうだ。奴のお袋はオーストリアの元貴族の娘だ。俺と粕谷が出会ったのは、俺が十八で、粕谷が二十九のときだ。当時、俺はまだ学生だったが、奴はもうヨーロッパで名うてのスパイだった」

「何年前？」

「二十年以上前だ。奴には例の美貌《びぼう》と、母親から受け継いだ財産があり、ヨーロッパの社交界でも顔を知られた存在だった。奴はその立場を利用して手に入れた情報を、各国の情報機関に流していた」

「何のために？」

いずみが訊《たず》ねた。親父はユーウツそうにいずみを見た。

「カネじゃないことは確かだな。奴は腐るほどしこたまカネを持っていた。奴は刺激に飢えていたんだ。財産もあって、女にも、もてる。だがそれじゃ飽き足りなかった。奴が欲しがったのは権力だった。それも、政治家として、表立って国家を動かすような権力じゃなく、裏から、まるで人形遣いのように人をあやつる権力だ」

「同じようなことをいわれたよ、スカウトされたときに」

「奴は外人部隊にも行った。戦闘経験を積む、というのが表向きの理由だ。そこで奴は、戦争という代物が、いかに途方もないカネを食うかを知った。同時に、秀《すぐ》れたスパイがひとりいれば、そのカネを無駄に使うことなく戦争で勝てることもな」

「なるほど」

「奴がスパイたちを集めだしたのは、それからだ。スパイとひと口にいっても、愛国心で動く奴とカネが目当てで動く奴と二種類いる。概して、優秀な奴にはあとの方が多い。それは誰も信用しないからだ。

愛国心で動く優秀な奴は、たいてい裏切られて殺される。仲間をあまり疑わんからな」

「父ちゃんがこの世界に入ったのも、あの男のせい？」

「ある意味では、そうともいえる。俺たちの父親は、俺が十三のときに行方不明になった。そのときおれとお袋のことを気にかけてくれた人がいた。父親の親友だった老人だ。俺は、その人に実の息子同様に育てられた。俺は中国系のフランス人だったその人から、いろんな国の言葉や習慣を教えられた。老人は実業家ということになっていた。が、スパイの世界でも有名な大物だったのだ」

「…………」

僕は意外な親父の生いたちに黙って耳を傾ける他なかった。

「――奴がこの町を作るアイデアを得たのは、まさにその老人からだった。生きのびるために、スパイとしてさまざまな危険をくぐり抜け、ときには自らの手も汚してきた老人は、心から安住の地を求めていたんだ」

「じゃあ、その人もこの町に住んだの」

親父は首を振った。

「奴の計画を知ると、老人は、さまざまな方法でこの町を作る支援をした。が、あるときを境にそれをすっぱりと断わった」

「なぜ？」

「奴がこの町を学校にして、新たなスパイを生みだそうとしているのを知ったからだ。その老人は、自分の人生のうちの大部分を、後悔して生きていた。このスパイの世界が、いかに非情かを身をもって知っていたからだ。だから、安息の地を作ることには賛成であっても、若者を同じ世界にひきずりこむことだけは許せなかったのだ」

「どうなったの？」

「ある晩のこと、奴が老人のもとを訪ねた。奴の計画には、老人の持つ知識がどうしても必要だった。何者も信用しないスパイの世界で、老人の口からでなければ決して聞けない名前や方法があったのだ。方法とは、それぞれ引退し、ひっそりと余生を送ろうとする老スパイたちと連絡をとる方法だ。新聞の何げない広告や、滅多に開かれることのない私書箱など、スパイは引退しても必ず、どこかに連絡の手段を残しておく。それが身を守る方法なのだ。奴にとっては、まさに黄金に等しい知識だ。奴はそれを手に入れようとした」

「老人は喋《しゃべ》ったの？」

親父は暗い顔で首を振った。

「むろんのこと、拒絶した。奴はそれを計算済みだった。そのために口を開かせるためのテコを奴は用意していた」

「何を――」

親父は床から目をあげ、僕を見た。

「俺とお袋の命だ」

粕谷は老人が唯一、この世で心を許した存在だった親父と親父のお袋さんを人質にとっていた。そして協力しなければ、二人を殺すと脅したのだった。

老人は協力した。かつて知りあった、この世界の、伝説的な仲間たちの名と、彼らに連絡する方法を粕谷に教えた。

取引は成立し、親父と親父のお袋さんは解放された。

「そして、その夜、俺たちの安全を見届けたのち、老人は自殺した。人生の最後の最後に、仲間を裏切った自分を許せなかったんだろう」

親父は暗い目で床を見つめていった。

「それで、老人から連絡方法を教えられたスパイたちに、粕谷は会ったのかな」

親父は頷《うなず》いた。

「会ったさ。奴は老人を脅迫したことを知らせずに、老スパイたちを抱きこもうとした。中には疑いを持った者もいたが、多くは老人ほどはこだわらずに、奴の計画に賛成した」

「なぜかしら？」

いずみがいった。親父は彼女を見た。

「スパイ稼業を長くつづけていると、自分の人生に対し、ふた通りの考え方をするようになる。ひとつは老人のように、過去を忘れたいと願い、なるべく過去とつながるものを断って暮らす。もうひとつは、かつての敵味方に関係なく、思い出にひたって生きたいと願う。なぜなら、自分たちの仕事が歴史を左右したとしても、それが決して表舞台には現われることはないからだ。そういう連中は、回想の中で自分の仕事とその結果の大きさを懐かしむ。敵味方を忘れ、あのときはこうだった、ああだったと、引退した将軍同士のように語りあいたいのさ。暖炉の前でシェリー酒でもすすりながらな」

「どう見ても魅力的な仕事じゃないね」

僕がいうと、親父は苦笑した。

「まあそうだ。自分の手柄を人に知ってもらいたくてウズウズするような奴には向かん商売だ。できるだけ目立たず、目と耳だけを動かして、普段はまるで置き物のようにおとなしくしているんだ。そして命令が下るやいなや、獲物に襲いかかる猛獣のように素早く行動する。だがそんな人間でも、やがて年をとる。年をとれば、誰かに自分のした仕事を認めてもらいたくなるものだ。だからといって、回顧録を書くわけにはいかない。書けば歴史がひっくり返る。ひっくり返るだけならいいが、自分の命が危なくなる。そこで、互いに秘密を抱えこんだ者同士が仲よくなる、というわけだ」

「プロ同士の友情？」

島津さんが「レジーナ」で口にした言葉を思い出し、僕はいった。

「とはちがうだろう。年をとって単に気弱になってくるのかもしれん。まあ、当事者でなけりゃわからんだろうな」

「で、今もそういう連中がこの町には住んでいるわけだ」

僕がいずみを見やっていった。

「多分、そうだと思うわ。でも教育生のうちは、町のことをほとんど教えてもらえないの」

「教育生？」

親父がいったので、いずみが説明した。施設にいた彼女を粕谷がスカウトし、この町に来たこと。彼女以外にも何人かの、同じような、スパイの卵がいること。

「やってやがったんだ、やっぱり」

親父の顔がひきしまった。

「俺は、それが一番許せなかった。奴は優秀なスパイを育てる、といってるが、奴の町に移り住んだのは、大部分が、いろいろな国のお尋ね者になっているような人殺しのプロだった。暗殺や裏切りの専門家ばかりだ。そんな連中の教育を受けて、いったいどんなスパイが育つと思う?」

いずみがつらそうにうつむいた。

「親父、いいすぎだよ」

僕はいった。

「悪かったな、いずみちゃん」

「いいんです。本当のことですから」

いずみは自分の指先を見つめながら、低い声でいった。

僕は話題を変えようと、いった。

「親父、それでいったい、どうやってここに来たんだい?」

親父が答えようとしたとき、いずみがいった。

「待って下さい。上のドアには鎖が戻してありますか」

僕と親父は顔を見あわせた。

「マズいな」

親父がいった。この家を封印していた鎖が外れていれば、中に人がいると宣伝しているようなものだ。保安部隊に見つかればひとたまりもない。

「わたし行ってきます」

いずみが腰をあげた。

「いや僕が――」

僕がいうと、いずみは微笑んだ。

「お兄ちゃんはここにいて。お父さんと一緒に。わたしは一度外に出て、家の様子を見てくるわ。それに、食料も何か用意しないと……」

「でも……」

「リュウ、彼女に任せろ。ここは彼女のホームグラウンドだ」

親父がいった。

「わかった。気をつけて」

僕がいうと、いずみはこっくりと頷いて、階段を登っていった。

ふたりきりになると、親父は大きな息を吐いた。

「煙草、持ってるか」

僕は頷いて、マイルドセブンを取りだし渡した。

親父は火をつけ、深く煙を吸いこんだ。

「自動販売機で売ってるのを買ったんだ。わざわざ運んできてるんだろうね」

親父は裸電球に立ち昇る煙の行方を見守りながら頷いた。

「お前、ここがどこだか見当がつくか」

「いいや、全然。北半球だろうとは思うけど。北半球のどっかの島じゃない？」

親父は僕を見た。

「そう思うだろう。だがここは島なんかじゃない。それどころか、日本の国内だ」

「そんな馬鹿な！」

僕は信じられず叫んだ。

「本当だ。ここは日本海に面した、東北の小さな岬の一角だ」

そういって、親父は詳しい住所をいった。確かに日本だった。日本の地名だ。

「でもテレビも映らないし、飛行場だって──、電話も……」

「テレビや電話なんていくらでも細工できる。飛行場があるのは当然だ。その岬全体を、粕谷が率いる多国籍企業が開発という名目で買いとったのさ。過疎で悩む県からな」

「でも周りには海しかない」

僕は初めての晩に〝我が家〟を抜けだして歩き、海に出たことを話した。

「お前が出たのは、ちょうど海に面した側だったのさ。一番近くの人が住む集落まで二十キロは離れている。しかも途中、道路は一本しかなく、その道はゲートで閉ざされている。外から入りこめる人間はいない」

「親父はどうやって……、いやその前に、ここをどうして知ったの？　粕谷は、あんたには絶対見つけられっこない、といってたけど」

「ずいぶんナメられたもんだ。確かに、この町が日本国内にあることは、島津ですら知らなかった。だが、粕谷の奴が国外に自分の基地を持っているなら、島津に助けを求める理由がない。奴が島津に助けを求めたのは、この町で起きている殺人を解決してくれる者が必要だったからだ」

「自分たちでは無理だと……？」

「この町に無関係な人間でなけりゃならない。奴の町が国内にあると見当をつけた俺は、奴の表向きの商売、主に第三世界を相手にしている商社、についても調べて回った。その商社がアフリカや中南米を中心にした国と取引をしちゃ、ボロ儲《もう》けしたカネをどこにつぎこんでいるか追ったのさ。そしてここに行き着いた。奴は、この町のスパイ養成技術を、たとえば、建国まもないアフリカの独裁国家などに売りこんでやがるのさ」

「島津さんにそれを話したの？」

親父は首を振った。

「粕谷の組織は、アメリカやソ連とも情報の取引がある。ＣＩＡやＫＧＢの、汚ない仕事の下請けもやっているからな。もし、その組織の中心が、島津の膝《ひざ》もとにあるということがわかれば、島津が苦しくなる。奴は知らん」

「どうやってこの町に？」

「この町がある岬の周囲一キロの海域は漁船も立ち入りを禁じられている。だが密漁船がアワビを目当てに操業することがある。その中の一隻に頼みこんで近くまで運んでもらい、ゴムボートで上陸したんだ。夜のうちにざっと町の様子を見回るつもりだったが、俺が制服をかっぱらった保安部員に見つかってな……」

あとのことはわかるだろう、というように親父は肩をすくめた。

「しかし、そんな……」

ことってあり、という言葉が頭の中をウズ巻いていた。

ここが日本だなんて……。

しかも島でも何でもなく、日本海につき出た岬の突端だったとは。

僕はてっきり、絶海の孤島だと信じこんでいた。

だが考えてみれば、いくら薬で眠らせてあるからといって、僕を国外に連れだすのは容易ではなかったはずだ。

しかも命を狙われるような外国人を住まわせるには、日本は抜群に治安がいい。住人の命を狙う暗殺者が町の近くまで来れば、東北の田舎町ということで嫌でも人目を惹《ひ》くにちがいない。

僕の考えを読んだように親父はいった。

「先進諸国の中でも、これだけ外国人が目立つのは、日本の田舎くらいのものだからな」

「何てこった……」

僕は呻《うめ》いた。

粕谷が〝殺人鬼〟を、外部の人間では絶対にないと思いこんでいるのは当然だ。

「でもあいつは、何のために、この町の住人を殺して回ってるんだろう」

僕はつぶやいた。

ヘルメットをむしりとられた〝殺人鬼〟の素顔は、金髪の三十代の男だった。

誰かに雇われた殺し屋なのだろうか。その殺し屋が、この町に入りこみ、住人を殺して回っているのだろうか。

それとも、あいつもまた、この町の住人なのか。

僕はいずみの身がふと不安になった。様子を見ると出ていってから、一時間近くがたっている。

だが、いずみの身を心配する前に、僕は親父に訊《たず》ねておきたいことがあった。

「親父――」

「なんだ」

「あのとき、親父は、本当に粕谷を殺そうと思ったの？」

親父は無言で僕を見つめた。短くなった煙草を床でもみ消した。

「俺は、風の便りに、奴が死んだと聞いていた。あるアフリカの小国の軍隊の訓練を請け負い、そいつらを秘密警察に仕立てたんだが、秘密を守ろうとした独裁者に殺されたとな。

だが奴が現われたことで、それが噂にすぎなかったことがわかった。奴はあい変わらず、汚ない連中を集めては、そいつらに安全を売り、見返りに新しい、裏切り者、人殺し、謀略の名人を育てていた。奴がいる限り、世界のどこかで、奴に育てられたプロに殺されるか、ハメられる人間がいる。しかも奴は、俺の育ての親を殺したも同然だ。ああ、俺は殺すつもりだった。奴だけは、生存を許しておくことはできないと思ったんだ」

「…………」

「許せんか？」

僕は首を振った。

「父ちゃんがそう思ったのなら、仕方ないよ」

親父は小さく頷《うなず》いた。

「お前も、長生きするうちには、ひょっとしたら、そんな人間が出てくるかもしれない。人を好きになるのと同じくらい、人を憎むこともあるのが人生だからな」

「だからって、いちいち殺しゃしないよ」

親父は苦笑した。

「よかった。まだこの町に毒されちゃいないようだ」

そのときだった。不意に、地下室の上げ蓋《ぶた》が引き開けられた。

驚いて振り仰いだ僕の目に、自動小銃の銃口がとびこんだ。

「動くな。手榴弾《しゅりゅうだん》を放りこむぞ」

銃を構えている二人組の片割れがいった。

僕は凍りついた。二人組は、粕谷の腹心で、僕を見張っていたはずの、この町の卒業生だった。日本人とプエルトリコ人のコンビだ。

「ゆっくりと階段をあがってこい。ひとりずつだ」

自動小銃を構えた日本人がいった。

いずみがつかまった――まっ先にその考えが頭に浮かんだ。

親父を振り返った。

親父は無言で小さく頷いた。ここはいう通りにする他ないようだ。

まず、いずみのナップザックを手に、僕からあがった。

一階に出ると、プエルトリコ人が僕に銃を向け、ナップザックを取りあげると、壁に両手をつかせた。

つづいて親父があがってきた。

俺は首だけ動かして、あたりを見た。保安部の兵士はひとりもいない。家の中にいるのは、このふたりだけのようだ。

プエルトリコ人が銃口で僕の背をついた。よそ見をするなという意味らしい。

うわっという叫び声が聞こえた。

僕とプエルトリコ人は同時に振り返った。

親父が日本人のつきだした銃身をつかみ、階段の下へひきずり落としたのだ。

「…………」

何かを叫んで親父を撃とうとしたプエルトリコ人の背中に体あたりをくらわした。万歳をして、体が宙を泳ぐ。

親父がさっと穴のわきにどいた。頭からプエルトリコ人が地下室の入口につっこんだ。ガタガタッと音を立てて、まっさかさまに転げ落ちる。

「リュウ！　蓋だ」

親父が叫び、僕は入口の四角の蓋をバタンとおろした。途端に、バリバリッという銃声とともに床が弾《はじ》けた。下から撃ってきたのだ。

親父がプエルトリコ人の落としたM16を拾いあげ、蓋めがけ乱射した。

叫び声がして、下からの銃撃が止んだ。

「重しをさがせ！」

親父の声に僕はあたりを見回した。まっ先に目がいったのは、居間におかれたひとかかえもある観葉植物の鉢だった。横っとびに走って、鉢をかかえ、ひきずった。

再び床下から銃弾が蓋を貫いた。親父がすぐに撃ち返すと、銃撃は止まった。

「のせろ」

僕はうなりながら鉢植えを蓋の上にのせた。鉢植えの重さは三十キロ近くあるにちがいない。下からでは簡単には持ちあがらないだろう。

「よし、退却だ」

親父が低い声でいって、僕らはその家の玄関を走り出た。

3

〝我が家〟には誰もいなかった。

「いずみ！　いずみ！」

開いていた玄関から中に入った僕は叫んだ。返事はない。

「向かいの家を見てみよう」

「あわてるな、誰か残っていたら厄介なことになるぞ」

親父がいったが、僕はとりあわなかった。

外に出ると、向かいの家に入った。中は、さっき見たときと同じようにガランとしていた。

親父がゆっくりと入ってきて、並んでいる機材を見回し、寝袋に目を止めた。

「さっきの二人はここにいたんだな」

僕は無言で頷いた。

いずみはここにもいなかった。連れ去られてしまったのだろうか。

誰に？

粕谷か。

それとも……。

僕はどきっとした。まさかあの金髪が戻ってきて、いずみを——。

僕は親父を見た。親父は、テーブルの下に落ちているトランシーバーを拾いあげたところだった。

「粕谷が出るよ、呼びだしてみたら……」

僕はうつろな気になっていった。親父は眉《まゆ》を吊《つ》りあげ、僕を見た。

夜が明けかかっていた。

僕は部屋の隅に押しやられているソファにどずんと腰をおろした。へとへとに疲れ、眠たくて、腹もすいていた。親父と会えてほっとしたのもつかの間、今度はいずみがいなくなってしまった。

「まいったな」

僕はつぶやいた。この町をさっさと出ていけばいいのだ。そうすれば、この悪夢のような出来事とお別れをして、元の平和な高校生活に戻ることができる。

——そんなことはできない。

心の中で声がした。

いずみを見捨てていくことなどできない。

「粕谷、聞こえるか……」

声がした。

僕は顔をあげ、あっけにとられた。親父がトランシーバーに話しかけていた。

「――粕谷、聞こえたら返事をしろ」

親父はトランシーバーのボタンにかけていた指を離し、待った。

トランシーバーがサーッと音を立てた。

「こちらは〝校長〟だ。お前は誰だ」

粕谷の声が返ってきた。

親父が笑みを浮かべた。

「誰だと思う、あててみろ」

「何だと……」

「お前が教育に失敗した不出来な生徒のＰＴＡだ」

「さ、冴木か」

粕谷が絶句した。

「はい、大あたりだ。お前の部下は、ちょいとばかり暗いところに入っている」

「冴木、貴様、どうやって……」

「せがれを引きとりにきたんだが、お前のこの町も、だいぶ厄介なことになっているようだな」

粕谷の声は、ようやく落ちつきをとり戻した。

「保安部がゴムボートを発見したという報告をしてきたが、お前だったんだな」

「そういうことだ」

「この町からは出られんぞ。いっそ住んだらどうだ」

「お断わりだ。息子の話じゃ、ここはレンタルビデオもない田舎らしい。そんなところに住む気はないね」

「保安部員を殺したのはお前か」

「外れだ。この町の殺人鬼だよ、早速お目にかからせてもらったよ、残念ながらとり逃がしたが……」

「何だとっ、犯人を見たか！」

「ああ、見たとも。二、三発ぶちこんだが、あいにく防弾チョッキを着ていたせいで仕止めるまでにはいかなかった」

「………」

粕谷が沈黙した。どうやら懸命に頭を働かせておる気配。

「冴木、そこにいるか。おい、冴木……」

「いるぞ」

「取引だ。殺人犯を見つけてくれたら、お前たち親子をこの町から出そう」

「自分で捜したらどうだ」

「お前たちは逃げられん。侵入者の警報を受けて、町を出る道は封鎖された。海を泳ぐつもりか」

「悪くない」

「大型の低気圧が近づいてきている。海は大シケだぞ」

親父は僕を見た。

「待つさ。シケがおさまるまで」

「この小さな町にいつまで隠れていられると思う。夜が明けたら、町中をシラミ潰《つぶ》しに捜索してやる」

僕は窓べによって空を見あげた。粕谷の言葉は嘘ではないようだった。とうに明るくなっていい空が妙にどす黒い。さっきまで気づかなかったが、湿りけを帯びた重い風が木々を揺すり始めていた。

「どうする、リュウ」

親父がいった。僕は肩ごしに振り返った。

「いずみをどうしたか聞いてよ」

「今はまずい。もし奴が彼女を押さえているなら、かえって取引に使われる」

僕は肩をすくめた。

「任す」

親父はトランシーバーに向き直った。

「車を一台用意しろ。道の封鎖を解いて、保安部員に俺たちを通すよう、命じるんだ。そうしたら犯人の手がかりを与えてやる」

「馬鹿をいうな。そんな取引に応じられると思うか」

通りの向こうをゆっくりと一台の車がやってくるのが見えた。保安部のランクルだった。

「父ちゃん、お迎えがきたよ」

「この場所の見当をつけたな、よし、出よう」

「冴木……冴木……聞いているのか」

「つづきはあとだ」

親父は一方的にいって、トランシーバーのスイッチを切った。

僕と親父は、その家の反対側の出入口、正面玄関に向かった。

その家を出、足早に歩き始める。

「どこに行く？」

僕は頭をめぐらせた。この小さな町で、安全を確信できる場所など、そうはない。

僕の肩には、いずみが持ちだしたナップザックがあった。

「学校へ行こう」

僕は閃《ひらめ》いていった。

「学校？」

「親父、錠前破りできる？」

「あの娘ほどうまくはないが、それほど複雑でなければな。道具はあるのか」

「ある」

僕は肩のナップザックを揺すってみせた。

僕と親父は、途中、何台かのランクルをやり過ごしながら、〝学校〟へと急いだ。自転車でも十分近くかかったのだから、決して近くはない。

ようやく辿《たど》りつくと、ナップザックから取りだした道具を渡し、ゲートの南京錠に挑んでもらう。

いずみの十倍以上の時間をかけて、親父はようやく、南京錠を外した。

外れた錠を前に、額の汗をぬぐった親父に、僕はいった。

「どうも行商人を早目に引退したのは正解だったみたいね」

「よけいなお世話だ。他に仕掛けはないのか、赤外線警報装置とか」

僕はちょっと感心して、親父を見た。

「ある。いずみは、この眼鏡をかけて中に入り、警報装置のスイッチを切ったんだ」

「貸せ」

「それから地雷もところどころに埋まってるかもしれないって」

「何だと」

親父はぎょっとしたような顔をした。

「なんだって学校に地雷なんぞあるんだ」

「授業のためだろ」

親父は薄気味悪そうに、広いグラウンドを眺めた。

「ひでえ学校だ。運動場に地雷を埋めてあるのか」

「射撃場もある」

親父は深く息を吸いこんだ。

「この町をぶっ潰してやりたくなってきた」

「そのために来たのじゃなかったの」

僕がいうと、くぐりかけたゲートから振り返り、眼鏡の奥から見つめた。

「……そうだな。そのために来たんだ」

僕と親父は、入りこんだ学校の中を次々と見て回った。

幾つもある小部屋はすべて扉に鍵《かぎ》がかかっていた。そのうちのひとつを、親父が開いた。そこは、一見、普通の教室のように見えた。黒板と、ひとりがけの机と椅子が数組、おかれている。

黒板には、うっすらとだが授業のときに書かれたチョークの跡が残っていた。

「脅迫を有効にする心理作戦」

とある。

「一、対象に自分のおかれた状況を深く考えさせない」

「二、助かる道が、こちらのいう通りにする他ないと思わせる」

「三、対象に同情心を持っているように思わせる」

などなど。

僕は首を振った。

親父は机のひとつに腰をおろし、トランシーバーを取りだした。

「粕谷、聞こえるか。冴木だ……」

呼びだしをして待った。

「……冴木か。どうした、どこにいる？　捜したぞ」

「まだ保安部を信用しているのか。あんな連中に俺たちはつかまらん」

「結構。いつまで追いかけっこをさせるつもりだ。そろそろ、大人の話しあいをしようじゃないか」

「いいね。どうする？　一対一の決闘か」

「私がひとりでそちらの指定する場所に行こう。そこで話しあうというのはどうだ」

「ひとりは駄目だ。いずみちゃんを連れてこい」

「いずみを？」

「そうだ。うちの息子は、彼女と一緒に町を出たがっている」

「気に入ってくれたようだな、私の生徒を」

「生徒は気に入ったが、校長は殺してやりたいそうだ」

親父は力のこもらぬ声でいった。粕谷はくっくと笑った。

「それは冴木、お前自身のことだろう」

「まあな」

「よかろう、いずみを連れていく。どこに行けばいい？」

「それはあとでまた連絡する」

親父はいってトランシーバーを切った。

「電波を逆探知されない用心だ」

僕は頷《うなず》いた。

「奴の様子じゃ、いずみちゃんは奴の手もとだな」

「うまくいくと思う？」

「取引か？　とんでもない。いったろ、奴を信用するくらいなら、悪魔の方がマシだ」

「じゃあどうする？」

親父は指で煙草をはさむ真似をした。僕は煙草を取りだして投げた。

「残り少ないからね、心して吸うこと」

マイルドセブンに火をつけ、親父は眉根《まゆね》をよせた。

「奴の命を誰かが狙っている。そいつはまちがいない。青山での撃ちあいのときも、俺の他にもうひと組いた」

「そいつらの正体はわかったの？」

「金で雇われた奴らだ。だが問題は、どうして奴があそこに現われることを知っていたかだ」

「そのことと、この町の殺人鬼が関係あると……？」

「あるな。殺人鬼の目的は、この町に古くからいる住人を殺すと同時に、この町の安全が絶対ではないと住民に思わせることだ。とすりゃ、一番困るのは粕谷だ。しかも、もし犯行が無差別殺人でないとすると、犯人は、どこに誰が住んでいるかを知っている、ということになる」

「つまり本部の人間だね」

「粕谷のいるところが、本部だとするならそうだ。粕谷のスケジュールも知ることができるのも本部だろう？」

僕は頷いた。

親父は右手に垂らしていたトランシーバーを持ちあげた。

「粕谷、聞こえるか、どうぞ」

「――聞こえる、何だ、冴木」

「この町で殺された人間には何か共通点があるのか」

「なぜそんなことを知りたがる？」

「犯人はひとりじゃないかもしれん」

「なに？」

その間に僕は、粕谷から渡された被害者のリストをヒップポケットから取りだした。さっき〝我が家〟をのぞいたときに持ってきたのだった。

親父に手渡した。

「よく考えて返事をしろ、いいな」

親父はいってスイッチを切り、リストを読み始めた。

読み終えると、それをぱさっと机の上においた。遠くを見る目になっていた。

「……そうか、あの家は、グエンの引退した住み家だったんだな」

「知ってるの？　その中の人間を」

「グエン・ヨシムラは、以前タイで、アメリカ人の情報将校を氷に仕込んだ毒で殺したことがある。俺とその将校はバンコクのバーで向かいあって飲んでいた。酒の味が変だ、とそいつがいいだしたときは、もう遅かった……」

「その場にいたんだ……」

「いた。死んでから、奴の手口とわかった。解剖した死体から特殊な毒物が検出されたんだ」

「仲が良かったの？」

親父は曖昧《あいまい》な身振りをした。

「同じ事件を追っかけていた。アメリカ軍の武器を横流ししていたシンジケートだ。そいつは何か手がかりをつかんでいたんだ」

僕は溜《た》め息をついた。

そのとき、親父の手にしたトランシーバーが音を立てた。

「冴木、聞こえるか」

「聞こえる、どうぞ」

「殺された連中の共通点を知りたいといったな」

「そうだ。教える気になったか」

「全員、この町ができた当時からの住人だ」

「それだけか？」

「そうだ」

「他に、何人いる？　初めからの住人は？」

「四人だ」

親父は一瞬考えた。

「どんな連中だ？」

「いうわけにはいかん」

「そいつらから話を聞きたい」

「なぜだ？」

「犯人の正体を知りたくないのか」

「つかまえて処分すればすむことだ」

「そんなに簡単じゃないぞ。犯人はひとりじゃないかもしれんといったろう」

「何だと？」

「この町を潰《つぶ》したがっている奴がいるのさ。まあ、その意見に俺も反対じゃないが……」

「グループだというのか」

「そうだ」

トランシーバーは沈黙した。

「――私を殺して得をする人間がいるとは思えんが……」

ようやく粕谷がいった。

「復讐《ふくしゅう》だとしたらどうだ？」

親父が冷ややかにいった。

「そんな青くさいことを考えるのは、冴木、お前くらいのものだ」

「そうかな？　お前たちが恨みを買っていないはずはない。いちいち思い出せば、キリがないというだけじゃないか」

「………」

「どうだ？」

「またこちらから連絡する」

粕谷はいって、交信を切った。その声が妙にこわばっているように、僕には思えた。

4

粕谷からの連絡は、その後しばらく待ってもなかった。一時間近くたつと、親父がいった。

「リュウ、寝ていいぞ。この調子じゃ、奴はしばらく連絡をしてこないだろう」

「何か考えがあるのかな」

「多分な。心あたりを洗っているんだ」

「もしそれで、あいつが犯人をつかまえたら、こっちの切り札がなくなっちゃうよ」

親父は首を振った。

「もともと切り札でも何でもありゃしないさ。あの男ひとりが、すべての殺しの犯人とは限らん」

「どういうこと？」

親父は何かに気づいているようにみえた。

「殺された四人の過去に、同じ人間に殺される理由があるとは思えん。もしあるとすれば、この町に関係した何かだ」

「それは僕といずみも考えたよ」

「とすれば、犯人に最も心あたりがあるのは、粕谷ということになる。奴こそが犯人の狙いに気づいていいはずだ」

僕は親父を見つめた。

「じゃあ粕谷は犯人を、少なくともその目的を知ってると……？」

親父は頷《うなず》いた。

「どうしてそれなら助けなんて頼んだのだろう」

「さあな。とにかく休むことだ」

親父の言葉に僕は肩をすくめた。親父にもこれ以上、はっきりしたことはいえないようだった。

僕は教室の隅にいくと、膝《ひざ》を抱え、丸くなった。


「起きろ、リュウ」

親父の声に目を開けた。まっ先に耳に飛びこんできたのは、激しい風の唸《うな》りだった。ヒュウヒュウと音を立てて吹きつける風が、校舎全体を揺らしているようにも感じる。ときおり、ザザッと叩《たた》きつける雨の音も混じっていた。

親父が拳銃《けんじゅう》を手に教室の出入口に立っていた。

「客が来たぞ」

そういって、くるりと踵《きびす》を返し、廊下に出ていった。

僕は立ちあがり、ふらつく頭であとを追った。

親父は外が見えるガラス扉の手前で立ち止まっていた。

とうに昼を過ぎているのにちがいないのに、まっ暗な厚い雲が空に垂れこめている。

大粒の雨で湧き返るようなグラウンドの向こう側、フェンスのゲートに一台の車がライトをつけて止まっていた。

僕は息を呑《の》んだ。

車はＢＭＷだった。あの金髪の男が乗っていたものだ。

ＢＭＷの扉が開いた。

レインコートを着て、帽子をかぶった人影が降り立った。ゲートの鎖を留めた南京錠に走りよる。

人影はキイを持っていたようだ。鎖を外すと、大きくゲートを開いた。

ＢＭＷに走り戻った人影は運転席に乗りこみ、発進させた。

ＢＭＷはゆっくりとこちらに向かう一本道に進入した。

僕ははっとした。車を乗り入れたのに警報装置が作動しない。

「警報装置のスイッチは切ったままなの？」

親父は首を振った。

「いや、もとに戻してある。奴は、別のところで操作して、警報のスイッチを切ったんだ」

雨は激しく、BMWはワイパーを最大限に速く動かしていた。

フェンスの向こうの樹木が、今にも折れそうなほどたわんでいる。

「いったい何しに来たんだろう」

「きのうの晩のお前たちと同じ目的かもしれん」

BMWのライトがさっとガラス扉にあたり、僕と親父は素早く身を隠した。

「ここに来るぜ」

「あっちに隠れるんだ」

僕と親父は急いで、入口からは死角になる右側の廊下の壁にはりついた。

BMWはガラス扉の前に横づけになった。

降りた人影が扉の錠を外した。扉が開くと、激しい風が雨を伴って、どっと校舎の中に吹きこんだ。

人影は苦労して風と戦い、ガラス扉を閉じた。水滴の垂れるコートと帽子をその場で脱ぎ捨てる。

あの金髪の男だった。

男はこちらに目もくれず、一番左の廊下に進んだ。奥の地下に、射撃場のある廊下だ。

「どうする？」

男の姿が闇に呑まれると、僕は親父に囁《ささや》いた。あいつが銃を取りに来たのは確かだ。きのうの晩失くしたベレッタの替えを手に入れにきたのかもしれない。そのベレッタは、親父が今、手にしている。

「待つんだ」

親父が囁き返した。

僕らはそこでしばらく待った。やがて廊下の奥から再び金髪の男が姿を現わした。右手にずっしりと重そうなトランクをさげている。銃の保管室で見た覚えのあるトランクだ。

男がコートを着けて、僕のかたわらを通りすぎ、扉の前に立つと、親父はすっと進み出た。

「動くな」

英語でいう。ぎょっとしたように男の体は硬直した。

「今日は防弾チョッキを着ていないようだな。無理はせんことだ」

「………」

男は答えなかった。しかし、親父が、

「トランクをおろして、両手を頭の上で組め」

というと、そろそろと、いわれた通りにした。

「よし、こちらを向け」

親父はいった。金髪の男は言葉に従った。

「聞かせてもらおう。なぜこの町の住人を殺す？」

親父は男の前に立ち、いった。男はまじまじと親父を見つめた。

「――お前、何者だ？」

男が口を開いた。

「この町の人間じゃないな」

「ちょいと道をまちがえて迷い子になった息子を捜しに来たのさ」

「だったら、さっさと出ていけ」

「そうはいかん。殺人を目撃して知らんふりはできん」

「外部の人間にこの町のことは理解できない」

「そうかな？」

男の目が素早く動き、親父と僕、そして床におかれたトランクを見比べた。

「よせ。それよりなぜ殺すか、その質問に答えろ」

親父は厳しい声になった。

男の頰が、ぴくりと動いた。

「命令を、受けたからだ」

「誰にだ？」

「いえない」

「カスヤにもそう説明するのか？」

男が口を歪《ゆが》めた。

「あの男のやり方はまちがっている。もう、奴のいうことを聞く者はいない」

「ほう、じゃあ誰のいうことなら聞くんだ？」

男が答えかけたときだった。背後のガラス扉がまるで爆発したように粉々に吹きとんだ。

「伏せろ！」

親父が叫び、僕は床にダイビングした。

割れたガラス扉の破片が、風で粉のようにとび散った。男の体に何十発という弾丸がつき刺さった。着弾の衝撃で、まるで、機械人形のような、不気味なダンスを踊っている。

僕は頭をあげることもかなわず、べったり床に頬を押しつけて、それを見守った。

銃声は何十秒とつづいたような気がした。ようやく銃撃が止むと、男の体はボロクズのように床に投げだされた。

「立ちあがっていいぞ」

やがて声がして、僕は親父と顔を見あわせ、おそるおそる体を起こした。

M16やヘッケラー・アンド・コックのサブマシンガンを手にした三人の男が、消えてなくなったガラス扉の向こうに立っていた。

まん中に粕谷がいた。

親父は嫌悪の表情を浮かべていた。

「なぜ殺した？」

「殺人犯に対するこの町の処分だ」

スーツの上にトレンチコートを着た粕谷がいった。

「こいつは命令を受けてやったといったんだ」

粕谷はそれには答えず、部下のプエルトリコ人に手を振った。プエルトリコ人が雨の中を走りだした。

「監視していたんだな」

「ここの他に、お前らが隠れそうな場所はないと教えられたのでな」

粕谷はガラスの破片をばりばりと踏み砕いて、校舎の中に入ってきた。死体には目もくれなかった。

立ち止まった粕谷と親父は死体をはさみ、向かいあった。

二人とも銃を手にしている。

「久しぶりだな、冴木……」

粕谷がいった。

プエルトリコ人の運転するロールスロイスがＢＭＷのかたわらにすべりこんだ。それを見て、僕ははっとした。
後部席には、いずみが乗っていた。

黄色いフランス人

1

いずみがロールスロイスの後部席を降り立った。砕けたガラス片を踏みしめて、校舎の内部に入ってきた。

「いずみちゃん……」

僕が口を開く前に、親父がいった。いずみは硬い表情を浮かべていた。

「粕谷にここを教えたのは、君か」

いずみは僕の方は見ずに、まっすぐ親父に顔を向けて頷《うなず》いた。

「しかも、この男が学校に現われる可能性があることも知っていた」

「ええ。犯人は新しい武器を手に入れる必要がありますから……」

いずみは感情のこもらない声で親父に答えた。親父はすっと息を吸い、粕谷を見た。

「つまり、この学校の監視は、以前からの計画だったわけか」

「ちょっと待って、どういうこと？」

僕は訊《たず》ねた。親父といずみが交わした会話の意味がさっぱりつかめない。

親父は僕を見やった。

「この町での俺たちの行動は、すべて計算されていたということさ」

「え？」

「ひょっとしたら、俺がここにお前を追ってくることまでこの男は考えていたのかもしれん」

親父の口調は苦々しかった。

僕はいずみを見つめた。いずみはあい変わらず、僕に目を向けようとはしなかった。

「俺たちが、最初に、お前の〝家〟に向かったとき、監視役のふたりはいなかった。次にグエン・ヨシムラの家に隠れているときに、こいつらが現われた。しかも、地下室に閉じこめたにもかかわらず、今こうしてここにいる。リュウ、残念だが、そういうことだ」

そういうことって、まさか――。

いずみがずっと粕谷のスパイだったということだろうか。

「いずみ――」

僕はいずみにいった。

いずみは顎《あご》をあげて、僕を見た。妙に透明な視線だった。

「私には、もうひとり信用できる人間がいた。粕谷いずみ、私の娘だ」

粕谷がいった。

いずみは小さく頷いた。

「じゃあ、まるきり嘘だったんだ！　ハワイの孤児院で育ったなんて！」

「ごめんなさい。あなたには、同じような境遇で育ったと思わせた方が、有利だと父が命じたの」

いずみは低い声でいった。

「同じような境遇――」

僕は絶句した。それは、つまり僕が涼介親父の本当の息子ではないことをわかっていて、わざとここに連れてこられた孤児のふりをしたということなのだ。

「きたねえ……」

思わず僕は呻《うめ》いていた。一度監視役を演じ、それに失敗したという理由で監禁されている姿を僕に見せた。当然僕は、彼女が〝命令〟で監視役をつとめさせられていたと思いこんだ。

だがそうではなかったのだ。

「もういい、貴様のこういうやり口には吐きけがする」

親父が割りこんだ。

「ダブルどころか、トリプルエージェントだったわけだ……」

僕はもの哀しい思いにとらわれていった。

監視役から、真の味方になってくれたと信じていたのに、やっぱり監視役だったなんて。それなのに、僕は、彼女を〝自由〟にすることを粕谷に要求した。

おかしかった。自分の間抜けさ加減がおかしくて涙が出そうだ。

「とんだピエロだね」

僕はいった。いずみに腹が立たないといえば嘘になる。だが、それ以上に、悲しかった。この裏切りの町で、信じあえる仲間だと思っていたのに。

「ジェーン・キャンベルというのは？」

「母の名よ」

いずみがいった。

「粕谷、みごとにハメてくれたな」

親父が怒りのこもった口調で向き直った。

「リュウを連れてくれれば、必ず俺が乗りこんでくる、そう計算していたのだろう」

「その通りだ。ゴムボートの報告を受けたときに、すぐお前だと直感した。あれくらいでくたばる男ではないからな」

「トランシーバーで驚いたふりをして、か」

「喜んでもらえたと思うが……？」

「とっくにいずみちゃんから報告を受けていたわけだ」

粕谷は頷いた。キザな仕草だった。

「頭の切れる奴だ。喉《のど》をかき切ってやりたいぜ」

ボディガードがさっとM16を構えた。それを粕谷が制止した。

「よせ、こいつらにはまだ使い途《みち》がある」

「そうだろうな。雑魚《ざこ》一匹、蜂の巣にしたところで、お前の今の苦境に変化はないからな。この男は、本物の保安部員なのか」

親父は足もとに横たわる、金髪男の死体を見おろしていった。

「その通りだ。どうやら飼い犬と思っていた奴らが牙《きば》をむき始めたらしい。一緒に来てもらおうか」

「断わる、といったら？」

親父は低い声でいった。

「かまわん。お前も息子もここで死ぬだけだ」

「簡単にはやられんさ」

親父は僕を見やった。僕は小さく頷いた。

そのとき、いずみが動いた。ヨットパーカーのポケットから小さな拳銃《けんじゅう》を引き抜いた。

それをつっと僕の頭に向けた。

「父のいうことを聞かなければ撃つわ、冴木さん」

一瞬の動作だった。親父にも僕にも、どうすることもできなかった。

粕谷がにやりと笑った。

「子供のできの差だな、冴木。銃を捨てろ」

親父は太い息を吐き、言葉に従った。


僕らが押しこめられたロールスロイスは、本部には向かわなかった。学校を離れると、激しい風雨の中をつっ走り、町の外れにある一軒の家の前で止まった。

その家は、洒落《しゃれ》た家の多い〝町〟の中でも、ひときわ大きく、豪華な建物だった。二階建てのコンクリート造りの屋敷は、要塞《ようさい》と呼んでさしつかえないほど、堅固な造りで、周囲に高い金属塀をはりめぐらせている。

塀の上にはテレビカメラがセットされ、屋敷の周囲を映していた。

ロールスは、金属のゲートをくぐり、屋敷の内部へと進んだ。四台は車が止まれそうな屋根つきの駐車場には、すでに二台の車が止まっていた。一台はメルセデスのリムジン、もう一台は、ポンティアックのトランザムだ。

ロールスが駐車場に進入すると、背後で金属塀のゲートが閉まった。ゲートの操作は、屋敷の内部で、テレビカメラから送られる映像に従って行われているようだ。

ロールスがエンジンを切るのを見はからったように、屋敷の内部と駐車場をつなぐ扉が開いた。中から、白い、ボーイのような上っぱりを着けた東南アジア系の男が進み出た。

粕谷がドアを開け、降り立った。

「揃っているか」

男は頷《うなず》いた。外国語訛《なま》りのある日本語でいった。

「ジェネラルがお待ちです」

「よかろう。来い、冴木」

親父はプエルトリコ人に銃でつつかれ、粕谷のあとに従って降りた。いずみがあとにつづき、次が僕。日本人のボディガードがしんがりに降りて、プエルトリコ人はロールスの運転席に残った。

「何が始まるんだ？」

親父は冷ややかにいった。

「お前が会いたがった、この町の創立時からの住人に会わせてやる」

「そいつは光栄だな」

「案内しろ」

粕谷は白服の男に命じた。

「こちらへ」

男はいってドアを開いた。

屋敷の中は、まるで宮殿のように豪華だった。分厚いペルシャ絨毯《じゅうたん》がしきつめられ、壁や床には、ずらりと絵や焼き物といった美術品が並べられている。

美術の成績がさほどでもないリュウ君でも、ひと目でピカソとわかる絵や、とにかく馬鹿高そうな壺《つぼ》が屋敷のそこここにところ狭しとおかれていた。

もともともっと広い場所に陳列されていたこれらの美術品を、無理に、すべてこの家の中においた、といった印象だ。きっと、この町ではなく、本来の住居のあった国では、途方もない大金持ちだった人物が、この屋敷の主にちがいない。

白服の男は、美術品のおかれた廊下を、どんどんと、まっすぐ奥に向かって進んだ。

白く塗られた壁は、どれも分厚く、天井が高い。廊下をところどころで区切る扉は、ちょっとやそっとでは破れそうにない、厚い樫《かし》で作られていた。

白服を先頭に、粕谷、親父、いずみ、僕、ボディガードの順で進む一団は、ついに屋敷の一番奥にある部屋に辿《たど》りついた。

「こちらです」

白服がうやうやしくいって、ノックの後、重そうな樫の扉を開いた。

そこは天井が吹きぬけになった大広間だった。

入って左手に暖炉があり、炎があかあかと燃えている。中央に大理石でできた大きなテーブルがおかれ、周囲に四人の人物が腰かけていた。

その大広間に入った瞬間、僕は、四人の人物を見た親父が、はっと身をこわばらせたことに気づいた。

特に、暖炉のすぐそばにおかれた革ばりの安楽椅子に腰かけた老人には、目をすえたまま、そらそうとしない。

四人ともひどく年寄りだった。暖炉のそばにすわる老人が一番年をとっているように見える。あとの三人は、その老人と向かいあう格好で大理石のテーブルの前にかけている。

二人が白人で、そのうちのひとりは、銀髪を結いあげた、上品なおばあさんだった。

「来たかね、ミスター・カスヤ」

安楽椅子の老人がかすれた英語でいった。

「お元気そうですな、将軍《ジェネラル》」

粕谷が老人の前に立ち、答えた。

「見かけほどではない。炎のそばにいることを体が要求しておるほどだ」

老人は暖炉の方に手を振っていった。部屋の中は、じっとりと汗がにじみでてくるほど暑かったが、老人はまるでそれを感じていないようだった。

「この町は、湿度が高い土地にある。特に今日はひどい。年寄りの体には、重く湿った空気が一番悪い」

「たちの悪い低気圧が近づいているのです」

「ハリケーンかね」

「に、近い状態になるでしょう」

粕谷がいうと、老人は小さく頷き、初めて一行の他のメンバーは、僕らに目を向けた。

「この者たちは？」

「私の娘と弟、それに弟の息子です」

「弟？　ほう、君に弟がいるとは知らなかった」

「わけがあって別々に育ちました」

「顔を見せてもらえんかな」

老人がいい、紹介をしてもらえなかったボディガードが銃口で親父の背中を押した。

親父は押されるまま一歩進みでた。老人がまじまじと親父を見つめ、親父も見つめ返した。

「名前は何というのかね」

老人が親父に訊《たず》ねた。

「リョースケ・サイキ。あなたが生きていたとは驚きましたよ、将軍」

老人は眉《まゆ》をひそめた。

「儂《わし》を知っておるのか？」

親父は頷いた。

「革命が起き、あなたが国を逐《お》われたのは、もう十五年も前のことだ。フランス、アメリカ、カナダ、どの亡命先も、あなたが自国で犯した、民衆に対する弾圧のひどさに、長期間の滞在をいやがった。あなたは独裁者として失格だっただけでなく、人間としても失格だった。あなたの率いる秘密警察が拷問で殺した人間の数は十万以上だといわれている」

「失礼だぞ、サイキ！」

粕谷が英語でいった。が、親父はとりあわなかった。

「あなたは十二年前、次の亡命先といわれていたメキシコ行きの自家用機に乗ったまま、行方不明になっていた。この町に住んでいたとはね……」

「その通り。この町に住んでいたのだよ。私の国で革命が起きる少し前、私は、ミスター・カスヤに、私の財産の一部を運営してもらうことにしたのだ」

「それはあんたの財産じゃない。あんたの圧政で苦しめられた人民の財産だ」

「愚かな民衆に、芸術品は不用だ。彼らにはピカソの絵やミケランジェロの彫刻ではなく、鍬《くわ》や鋤《すき》を与えておけばよいのだよ」

「もういい。よせ、冴木」

粕谷は、今度は日本語でいった。

親父は粕谷に向き直った。

「貴様も人間以下だが、この爺《じじ》いは生き物ですらない、化け物だ。大衆の生き血をすすって肥え太った独裁者だ」

「それがどうした？　驚くに足ることか？　あとの三人を紹介して欲しくないのか」

親父はしぶしぶ残りの老人たちを見やった。

「聞かせてもらおうか」

ガタンと音を立てて、三人のうちのひとりが立ちあがった。おばあさんでも白人でもない、東洋系の顔立ちをした男だ。

「カスヤ、この無礼者をただちにつまみだしたまえ。将軍に対する暴言は、許すことができん！」

一本も毛の残っていない禿《は》げ頭をまっ赤に染めて怒鳴った。震える指を親父に向けている。

粕谷は冷たくいった。

「おすわりなさい、大佐。この男は、私やあなたにとって利用価値があるからこそ、連れてきたのです」

「いったい、何の利用価値があるというのだ⁉ 祖国だったら、反逆罪で即刻、死刑だ」

どうやら大佐と呼ばれた男は、〝将軍〟の側近のようだ。今も〝将軍〟に忠誠を誓っている様子。

「なるほど。これでひとりは素姓がわかった。秘密警察の長官をやっていたホワン大佐だな」

親父が英語でいうと、禿げ頭の爺さんは目をむいた。

「貴様！　私を知っとるのか」

「あんたは、亡命先のふたつの国でも殺人を犯して追われている。〝将軍〟の世話をするために雇われたメイドたちを、拷問して殺した容疑でな」

親父は壁を見つめていった。

「馬鹿な。あれは〝将軍〟の命を狙った革命派のテロリストだったのだ」

大佐がいうと、親父は厳しい目を爺《じい》さんに向けた。

「あんたがスパイ容疑をかけるのは、いつも若い娘たちばかりだった。国にいた頃から、若い娘に対する拷問は、あんたの専売特許だったのだろうが」

「な、何者だ……」

大佐はまっ青になった。

「まあまあ。大佐、それだけあなたが恐れられていたということです」

粕谷がとりなした。

「あとの二人は何者だ」

親父は日本語でいった。

粕谷が説明した。白人のおばあさんの名は、マリイ・ペトローヴァ、白人の老人は、その夫でリチャード・ラングレンという名だった。ふたりは、それぞれ敵対する陣営に属するスパイだったのだが三十年前、どちらも祖国を捨てて夫婦となった。しかも互いに、夫や妻のいる身だった。追っ手を恐れ、スペインの田舎町に隠れ住んでいたところを、この町の計画を知り、移ってきたのだという。

「私たちの信頼するある方が、この町のことを推薦して下さったからよ」

おばあさんはいった。

「私たちは幾つになっても、祖国の裏切り者として殺し屋に追われることを覚悟していたんです。たとえ私たちが忘れても、祖国はきっと私たちを許さないでしょうから……。ここは、私たちにとって、初めて、心からの平穏を与えてくれた場所です」

「あなた方にここを推薦したのは、何という人物ですか」

親父が訊ねた。

「それは答えるわけにはいきません。でもその方は、この世界では珍しい、信義を大切にする人でした」

「黄色いフランス人《イエロウ・フレンチ》」

親父がつぶやいた。おばあさんは、はっとしたように目を瞠《みひら》いた。

「どうして、それを……」

親父の顔に痛みにも似た表情が浮かんだ。

「やはり、そうか……」

親父はいって、粕谷を見た。

「そうなのだな」

「ミスター・ラングレンは、暗号解読の天才だ。私の学校には、ぜひ必要な講師だったのだ」

粕谷は平然といった。僕は、親父の育ての親が中国系フランス人だったという話を思い出した。おばあさんがいった、信頼できる人、というのは、親父の育ての親である老人だったにちがいない。粕谷は、その老人の名を使うことによって、この夫婦の信頼を得て、この町への移住をもちかけたのだ。

親父は息を吐き、目を閉じた。日本語でいう。

「お前が、あの人にしたことを、俺は決して忘れてはいないぞ」

「結果、この夫婦はこの町で平和に暮らしている」

「他の人々はどうなった？」

「皆、高齢者だった。この十何年の間に、寿命を迎えた」

日本語で粕谷も答えた。

親父は何もいわなかった。暖炉のある広間に重い沈黙が淀《よど》んだ。

それを破ったのは、安楽椅子にすわる、〝将軍〟だった。

「ミスター・カスヤ、そろそろ儂たちをここに集めた理由を聞かせてもらいたい」

粕谷は顔をあげた。

「この町が、何者かによって支配されかけているのです」

「何者か――どういう意味かね？」

〝将軍〟は眉をひそめた。

「正体がわからない、という意味です。ただ、その者は、この町の中枢に入りこんでいます。そして、創立当時からこの町に住む人間を皆殺しにしようとしているように、私には思えます。いってみれば、この町を乗っとろうとしているのです」

粕谷はいった。

2

「乗っとる、だと？　そんなことが可能なのかね」

〝将軍〟が疑わしげな口振りでいった。

「可能です。この町が、非常に特殊な存在であることは、皆さんもご存知だと思います。実質的には、この町には支配者はいない。住人は、それぞれの意志で移り住んだ者か、世界各地からスカウトされてきた教育生の、どちらかです。いわばこの町は、システムなのです。システムを統轄しているのは本部ですが、本部の事業をすべて掌握している人間は、私しかいません。しかし私は、住人に対しては何の権限も持っていない。私の権限は、保安部と教育生に対してのみだ。この町に移り住むための条件はふたつしかない。町への資金提供か、技術提供です。これまでは、ふたつとも実にうまくいっているように、私には思えました。技術提供によって育てられたエージェントたちは、世界各地で活躍しています。養成所としての、この町の能力には、ＣＩＡやＫＧＢなどの大組織なども一目おいているといってよいでしょう。そして、この町にはもうひとつ、安息の地としての価値もありました。今、誰かがそれを壊そうとしている。そして、この町から、平和を望む人々が逃げだすようしむけているのです」

粕谷はいった。

「それでどうなるというんだ」

大佐がいらだたしげにいった。

「誰かが同じものをまた作るのさ」

親父がいった。驚いたように粕谷は親父を見た。日本語でいう。

「冴木、どうしてそれを――」

「簡単なことだ。この町を潰《つぶ》して得をする人間がいるとすりゃ、商売仇《がたき》だけだ。誰かが、昔のお前のように、新しい安息の地を作ろうとしているのさ。そして、そこで新しいスパイ養成所をこしらえる」

「でもどうしてそんなことを――？」

いずみが初めて口を開いた。親父は粕谷に目を向けたまま答えた。

「権力欲だ。こいつと同じように、歴史を陰から操りたい、という権力欲にとりつかれた亡者なんだ、きっとそいつはな」

「古くからの住人を殺している理由は何なの？」

僕は訊《たず》ねた。

「この町が、安息の地にならない、と他の住人に思わせるためだ。同じように、住人を狙うのであっても、移ってきたばかりの人間と古くからいる住人とでは、警戒心がちがう。しかも、昔から住んでいる、引退同然の人間が殺されたとあっては、住人は新入りが殺された以上にショックを受ける。何年隠れても、結局この町にいたのでは命が危ない、とな」

「………」

「そうだろう、粕谷」

「何をいっとるのだ、日本語では意味がわからん！」

大佐がいらだったようにいった。親父は皮肉な笑みを浮かべ、粕谷にいった。

「説明してやれよ、商売仇が現われ〝我が社〟の信用を失墜させようとしていると」

「そんなことができるか！」

粕谷は親父を鋭い目で見すえた。

「そうだろうな。この町の住人は皆、過去を背負って、寝首をかかれずにすむ土地を捜している。ここが駄目なら、沈みかけた船を捨てるように、さっさと新しい場所にくらがえするだけだ。お前への義理なんか、カケラも感じちゃいないだろう」

粕谷は荒々しく息を吸いこんだ。

「裏の舞台だろうと、表の舞台だろうと、権力を手にした奴は、いつかは必ず別の奴にひきずりおろされるのさ」

「冴木……」

「俺は勘ちがいをしていたよ。お前が島津に助けを求めたのは、この町の殺人犯をつきにとめるためだと。ちがったようだな。お前は、殺しをして回っている奴の目的がハナから、この町の信用をなくすためだと気づいていた。島津には、住人の安全を日本政府が保障するようにもちかけたんだ。住人の持っているカネと特殊技術の提供とひきかえに

「……」

そうか。だから島津さんは断わったのだ。

人殺しの方法を伝授してもらってまで、世界中から追われている虐殺者や裏切り者をかばいたい国など、あるわけがない。仮に政府がそう考えるとしても、島津さんならノーというだろう。

「日本政府による安全の保障が、この町にとって、最後の切り札だった。それに失敗したお前は、ついに新しいライバルと全面対決をする覚悟を固めた。そして、その対決に、俺を巻きこむことにした。リュウを使ってな。

俺が、お前のようなやり方をする連中を心底、嫌っていることを利用するつもりで」

「………」

粕谷は答えずに、手近にあった椅子に腰をおろした。スーツの内側に右手をさしいれ、例のぶっとい葉巻を取りだした。

ゆっくりと火をつけ、煙を吐きだす。

「正解だ、冴木。だがもうお前は、逃げられん。俺と一緒に戦うか、ここで死ぬかだ」

目をあげるといった。

親父は鼻から息を吸いこんだ。

「リュウ、煙草くれ」

せっかく親父の頭の切れ味に感心していたのに、これだ。テキはキューバ産の葉巻をくゆらしておるというに、こっちはマイルドセブンを、それももらい煙草ときた。

僕はいささかがっかりしながらも、煙草を取りだして、親父に渡した。

〝将軍〟がいった。

「煙草は遠慮してもらいたい。気管支によくないと、医者に警告されておるのだ」

「御心配なく。我々の相談が決裂すれば、あなたを含めて、ここにいる全員には肺癌で死ぬ心配は不要になる」

親父が冷ややかにいった。

「貴様……許さんぞ！」

大佐が椅子を蹴《け》った。

「おやめなさい。この町であなた方が信用できる人間は、この部屋の中にいる者だけなのですよ」

粕谷が鋭い声を出した。

「何だと……」

あっけにとられたように大佐は粕谷を見た。ラングレンが口を開いた。

「それはミスター・カスヤ、つまり敵がこの町の中枢部まで浸透している、ということかね」

「残念ですが、そういうことです。この町の乗っとりを考えている連中の計画まではわかりませんが、技術提供のできない、単なる資金援助者は、この際、皆殺しにされるかもしれません」

「グエン・ヨシムラは、じゃあなぜ殺されたの？」

いずみが訊ねた。

「多分、乗っとり計画に気づいたからだろう。計画をたてた人間は、ヨシムラの暗殺技術ができれば欲しかった。ヨシムラは創立当時からの住民だが、講師としては一流だ。そこで乗っとりグループに加わるよう説得されたが、拒否した。その結果、殺されたわけだ」

僕は、グエン・ヨシムラの死体を思い出した。無防備な状態で射殺されたのだから、犯人はヨシムラの知りあいということになる。

「あとの連中は、もはや、エージェントとしても、講師としても使いものにならない年寄りばかりだったな」

親父は呟《つぶや》いた。

「ミスター・カスヤ、君に与えていた儂《わし》の援助をひきあげさせてもらうときがきたようだ」

〝将軍〟がいった。

粕谷は薄笑いを浮かべた。

「この町を作るために、大半を使ってしまいましたよ、〝将軍〟。この町が奪われれば、私たちには何も残らない」

「馬鹿な！　それでは泥棒と同じだ！」

大佐が怒鳴った。

「〝将軍〟、この町を出ましょう。飛行場には、我々が乗ってきた専用機があるはずだ。それを使って脱出し、メキシコに改めて、亡命を求めるのです」

「敵は、あなただけを排除して、この町はそのまま残すつもりなのかね」

ラングレンが訊ねた。

「だとすれば、私を暗殺すればすんだことだ。おそらく、別の場所に新しい町を建設するつもりなのでしょう」

「なぜそんな面倒なことをする。君を殺して、乗っとれば、そっくりそのまま手に入るのに？」

〝将軍〟がいった。大佐ほどあわてていないのはさすがだった。

「理由はふたつ考えられる」

親父がいった。

「ひとつは、新たな安息の地、という意味では、同じ場所を使っても、さほどイメージが変わらないこと。町がそのままで、管理者が暗殺によって交代したというのでは、クーデターによって政権が交代する国と同じで、これからの移住者に、安全性を印象づけられない。もうひとつは、乗っとりを計画している人間が、この男カスヤに対し、個人的な憎しみを抱いているからだと思う。カスヤの築きあげたものを根底から覆し、そっくり同じシステムを別の場所で作りあげることによって、カスヤを叩《たた》き潰《つぶ》してやりたいという欲求に燃えているのさ」

いずみが驚いたように粕谷を見た。

「そうなの？　パパ」

「もしそうなら、君は敵の正体に気づいておるということだ」

〝将軍〟がいった。

粕谷は無言だった。数口吸っただけの葉巻をひねり潰し、ぎらぎらする目で親父を見た。

「たいしたものだな、冴木。そこまで頭の切れる男が、のこのこと、よくやって来たものだ」

「お前を助けるためじゃない。ＰＴＡの責任だといったはずだ」

親父は短くなったマイルドセブンをうまそうに吹かしながら答えた。

「実際にこの町の安全性は、どこまで下がっているのですか？」

おばあさんが訊《たず》ねた。この人もしっかりしている。上品な物腰だが、元情報員ならば、死の危険にさほどあわてないのも、不思議はないか。

「保安部員の中に寝返った者がいる。二十名の保安部員は、すべて信用できないと思った方がいい」

そのとき、広間のドアを誰かがノックした。粕谷のボディガードがドアを開くと、緊張した表情のプエルトリコ人が立っていた。

「本部が緊急命令を出しました。すべての人民は、外出禁止となり、教育生は全員、本部に集合するように、と」

プエルトリコ人は青ざめた口調でいった。

「どうやら始まったようだな」

親父がいった。いずみがさっと粕谷を見た。

「私はそんな命令を出した覚えはない」

粕谷は静かにいった。

「わかっていたことだろ。ここに来ずに、本部に向かっていたら、今頃、俺たちは皆殺しだ」

親父が冷ややかに粕谷を見すえた。

「脱出しましょう！〝将軍〟！」

大佐が叫んだ。

「あわてるな！　脱出など不可能だ！　飛行場も港も、すべて閉鎖されているぞ！」

粕谷が大佐を怒鳴りつけた。大佐は顔面蒼白《そうはく》となった。

「冗談ではないぞ！　貴様の巻き添えをくって殺されるのは、私は真っ平だ！」

「ミスター・カスヤ、君の逮捕命令が出るのも、時間の問題のようだな」

さすがにこういう局面には慣れている元独裁者だけあって、〝将軍〟は落ちつきはらっていた。

「その通り。あんたたちは、新しい町に移り住めば殺されずにすむだろう」

親父はいった。

「そうはいかん！」

粕谷が立ちあがった。

「この町を、この、安息の地とエージェント養成所を兼ねた、素晴らしい場所を考えついたのは私だ。私の他に、このシステムを統轄できる人間はいない。乗っとられてたまるものか。住人も学校も渡しなどしない！」

「そろそろ敵の正体を聞かせろよ」

親父が落ちつきはらっていった。

「お前が俺を巻きこんでまで戦おうとした敵の正体を――」

粕谷は大きく息を吐いて、親父を見つめた。奇妙な表情を浮かべていた。

「そうだな、そろそろお前に教えてもいいかもしれん……」

親父は頷《うなず》いて、新たな煙草を取りだし、くわえた。粕谷は腰をおろし、話し始めた。

「この町ができたのは、今から十二年前のことだ。私が〝黄色いフランス人《イエロウ・フレンチ》〟と暗号名で呼ばれた、あの老人からこの町のアイデアを得て、実行に移すまで八年近い歳月がかかったことになる。その間、私は、〝黄色い《イエロウ・》フランス人《フレンチ》〟から得た情報をもとに、さまざまな引退したエージェントに連絡をとり、住人にふさわしい、資金力と技術の提供者を選別していた。むろん、その八年の間に、何人もの、この町にふさわしい人々が、暗殺や寿命によって世を去ったが、それはやむをえなかった。

計画が一気に具体化したのは、十五年前だ。自国のクーデターの危険を予知した、ここにいる〝将軍〟から莫大《ばくだい》な資金援助を受けられることが決まったからだった。私は、自分が経営する商社を通してリゾート開発会社を興し、この土地を手に入れ、人が住むにふさわしく、しかも安全性・機密性のすこぶる高い町を作りあげた。町の完成と同時に、八組の移住者、殺されたラインハルト、ケーニッヒ、ゴドノフ、ヨシムラ、そしてここの四人をあわせた者たちがやってきた。同時に、私は、この町のもうひとつの存在意義であるエージェント養成所を開校し、世界各地でスカウトした、身よりのない子供たちに教育を開始した」

「ご立派なことだ」

親父が低い声でいった。

「計画は思い通りに進んだといってよいだろう。安息の町の存在が知れ渡ると同時に、移住を希望する者たちから、私のスイス銀行の匿名口座には、それこそ洪水のように金が流れこんできた。私はその金を使い、町の施設を充実させ、安全性を高めるための保安部を組織し、養成所の教材を増やしていった。しかもその間、この町がどこにあるかは、絶対に知られぬよう、手を打った。知っているのは、町の住民か、町の建設のために金をつかませた、一部の日本の政治家だけだった。その政治家どもも、この町の実態は知りはしない。知った奴は、口を塞《ふさ》いできたからな」

「それも完璧《かんぺき》じゃなかった。現に俺がここにこうしている」

親父がいった。粕谷は首を振った。

「お前は特別だ。お前は日本人だし、同時にトップクラスだ。このふたつを兼ね備えた人間は、他にはいない。この町に潜入しようとする者がいるとすれば、住人を狙う暗殺者だけだ。殺しの腕が優れていても、この町に入りこむだけの技術を身につけている者となると、日本人にはまずいない。日本は、特にこの過疎地では、外国人は目につく。そうしたプロが仮に送りこまれても、近くの集落に配置した監視役が必ずといっていいほど発見する。この町を作るのに日本を選んだのは、そういう理由があったからだ」

まったく同じことを親父が、グエン・ヨシムラの家の地下でいっていたのを、僕は思い出した。

「養成所が最初の卒業生を送りだしたのは、町の建設から五年後、七年前のことだった。卒業生は、かねてからの私の計画通り、世界各国で、どこにも属さないフリーランサーとして、そのときどきの雇い主との契約のもとに活動を始めた。同時にそのエージェントの優秀さを知った、新興国家などが、自国の将校などを留学させたいと申しこんでくるようになった。当然、私はそれもひきうけた。留学生には、この町の所在地を決して知られない方法で、ここまで連れてきて、教育を行った。教育期間は、六ヵ月、一年のふたつに分かれていて、一年のコースを終了したものは、すぐにでも一級のエージェントとして実戦で使えるだけの能力を身につけさせてきた」

「そうやって、今までに何人のスパイを作りだしたんだ？」

「五十人ではきくまい。タウンは、一流の養成所としても知られるようになった」

粕谷がいうと、親父が怒りのこもった目でにらんだ。

「それが本当に素晴らしいと信じているのか。だとしたらお前は、007映画の悪役以上におめでたい奴だぜ」

「養成所の卒業生の生存率は、九十パーセント近くだ。消耗の激しい情報戦の世界にあっては、驚くべき数字だとは思わんか」

「五人が死んだわけだ。お前の養成所とやらに行かなければ、人殺しの方法も覚えず、また人から狙われることもなかった若者が」

「交通事故でも、もっと死亡率は高い」

「馬鹿をいうな！」

親父が怒りを爆発させた。

「そいつらが何をしているのか考えてみろ。謀略、裏切り、密告、暗殺、破壊工作、脅迫、拷問……すべて、人間のやることじゃない。そんな連中を作りだして、世界を裏側から操っているつもりか!?」

「先駆者に非難を浴びせるのは、常に愚か者のすることだ」

「ふざけるな。お前のいう先駆者とは、人殺しの兵器を作りだす、死の商人の手先の科学者たちと何ら変わりがない。お前にとって、人は人じゃない。チェスの駒と同じだ。壊れればとりかえる。不要なものは捨てる。人間だと思ったことがあるのか」

「卒業生の死には心を痛めたさ」

「お前が殺したんだ。その連中も、その連中がどこかで殺した人間も、すべて」

いずみが静かに息を吸いこむのを、僕は見ていた。表向き、粕谷は平然としていたが、いずみはちがった。だんだんと、表情が青ざめてきていた。

「……だが、死んだと思った卒業生がどうやら生きていたようだ」

粕谷が静かにいった。

「何だと?」

親父が訊《き》き返した。

「私に今、復讐《ふくしゅう》をしようとしている。この町を乗っとり、私の築きあげたものをすべて奪うことを考えている」

「それが敵の正体か」

「第一期の卒業生のひとりに、ずばぬけて優秀な生徒がいた。その生徒は六年後、イスラエル国境近くで命を落としたと伝えられた。

私には信じられなかった。成績も、血統も、申し分なく優秀な生徒だったのだ」

「血統？」

親父が訊き返した。

「そうだ、血統だ。彼の父親は優秀な工作員だった。十五のときに父親を失った彼は、町の建設当時、ソルボンヌ大学を出たばかりだった。私は彼に接触し、この道に入ることを勧めたのだ」

「まさか――」

親父がつぶやいた。

「そうとも。〝黄色いフランス人《イエロウ・フレンチ》〟の息子だ」

粕谷はいった。

3

親父が愕然《がくぜん》としていることは、はた目にもわかった。

「あの人の……息子、だと……」

「お前は知っているはずだな、冴木」

粕谷は冷ややかな目で親父を見つめていた。

「貴様……」

親父はしぼりだすような声でいった。

「あの人を死に追いやったばかりか、息子まで……」

「私は、いくつかの可能性を検討した結果、この乗っとり計画のリーダーが、奴しかいない、という結論に達した。奴、クロード・チェンは、第一期の卒業生ということで、この町の事情に精通し、しかもあとから巣立った卒業生たちの憧《あこが》れの存在、伝説の先輩だった。

養成所では、いまだに奴の残した成績を塗りかえたものはいない。もし、奴が生きていれば、その人望は、若い卒業生や保安部員の間でカリスマ的なものがある。古い住人にとっては、父親の〝黄色いフランス人《イエロウ・フレンチ》〟に対する信頼の念が今なお強い。もし、クロードが、自分の父親の死について真実を知ったとすれば、私への復讐として、この町の破壊をもくろんだとしても不思議ではない」

親父はゆっくりと首を振った。

「貴様が真実を教えるはずはない。俺も教えることはできなかった。クロードとは、あのとき以来、会っていないのだ」

あのとき、というのは、親父が話した、二十年前の出来事にちがいない。粕谷は、親父と親父のお袋さんを人質にして〝黄色いフランス人《イエロウ・フレンチ》〟に情報を吐きださせたのだ。その直後、〝黄色いフランス人《イエロウ・フレンチ》〟は自殺した。

「――俺はあのあと、大人になってから、幾度か、クロードを捜した。親父さんにこうむった恩を、少しでも返したいと思ったからだ。だが、クロードの行方はどうしてもつかめなかった……」

「この町にいたのだ」

粕谷はいった。

「その後、エージェントとしてはばたき、六年間というもの、目覚ましい活動を行った。そして死の知らせが私のもとに届いた。それから一年間、奴は、父親の死にまつわる真実を調べ、私への復讐の機会をうかがっていたのだ」

「なぜ、俺のところへ会いに来てくれなかったんだ……」

親父は呻《うめ》くようにいった。

「お前は、俺への復讐のために、エージェントの世界に入った。一度、この世界に足を踏みいれた者は、死ぬまで縁が切れない。お前が私立探偵という、別の仕事をしていたとしても信用ができるかどうか、疑っていたのだろう。この町の乗っとり計画が始動するまでは、クロードは、自分の生存を何としても隠し通す必要があったのだ」

「そして、今、親父さんの最も望んでいなかった道を進もうとしているというのか！」

「夢なのだ、冴木。クロードもかつての私と同じで、この世界を裏から操る夢にとりつかれているのだ。だが、私は渡さない！　絶対にこの町を、私が作りあげたシステムを渡すものか！」

親父がじっと粕谷を見つめた。静かな口調で訊《たず》ねた。

「何をした、粕谷……」

「何をした、とは？」

「お前が本部に向かわずに、ここに来たということは、本部がすでにお前の意のままには動かないという気配を察知したからだろう。お前の作りあげたシステムとは、すなわちこの町の存在だ。この町の存在は、すべて住人の素顔に関わっている。この町に、引退したスパイや亡命者が何人いるか知らんが、そいつらがすべて、クロードの作る新しい町に移れば、お前は負けなのだぞ」

「わかっているとも」

粕谷は妙に勝ち誇った口調でいった。

「とすれば、お前が負けないための方法はひとつしかない。住人をクロードに渡さないことだ」

ノックとともにドアが開かれた。白服のボーイが立っていた。

「何ごとだ？」

〝将軍〟がいった。

「保安部隊が屋敷の周りをとり囲んでおります」

ボーイは英語でいった。その言葉が終わらぬうちに、激しい銃声が、屋敷の玄関の方角から響いた。つづいて、荒々しい靴音が屋敷の内部にこだまし、完全武装の兵士たちが、なだれこんできた。

いくつもの銃口があっという間に、広間にいた僕らに向けられた。

兵士の数は全部で八名だった。ひとりが進みでて、粕谷にいった。

「〝校長〟、あなたを含め、ここにいる者全員を本部に連行します」

激しい風雨の中を、僕らを乗せたロールスは、保安部のランドクルーザーにはさまれて、本部めがけつっ走った。雨は横なぐりに叩《たた》きつけるような勢いでふりそそぎ、ワイパーはほとんど役に立たない。海につき出ている地形のため、強い風雨の影響を、もろに町全土が受けているのだ。

本部の建物の中は、妙に閑散としていた。

以前、連れてこられたときは、白衣を着けた男女が幾人もいたというのに、オレンジ色のラインのひかれた廊下には、人影がまったくない。

兵士たちは、僕らを二組に分けた。ひと組は、〝将軍〟や大佐、ラングレン、ペトローヴァといった住人たち、もうひと組が粕谷と親父、そしていずみと僕だった。

僕ら四人は、本部の最上階にある、粕谷の部屋に連れていかれた。

連行した兵士がドアをノックすると、英語で、

「入れ」

という返答があった。

兵士がドアを開いた。部屋の中には、保安部の制服を首からしたにつけた男がひとり、

前にも見た巨大な地球儀のかたわらに立っていた。

長身で、年は、親父と同じくらいか、少し下だろう。日に焼けた、たくましい顔立ちには、ひと目でハーフとわかる整った甘さがあった。制服の腰には拳銃《けんじゅう》を吊《つ》ったベルトが巻かれている。

男は、僕らが兵士に先導されて、ぞろぞろと壁際に並ぶのを、何の表情も浮かべず、見つめていた。

「やはり、君だったか……」

兵士が僕らの両わきにM16を構えて立つと、粕谷が口を開いた。

男は答えずに、つかつかと粕谷の隣に立つ親父に歩みよった。

男と親父は瞬《まばた》きもせずに見つめあった。

「――クロード」

やがて親父が低い声でいった。

「リョースケ。四分の一世紀ぶりだな」

親父は小さく頷《うなず》いた。

「ここで何をしている？」

クロードは落ちついた声で訊ねた。

「息子を迎えに来た」

親父が答えると、クロードは僕を見た。

「リョースケの息子か?」

僕は無言で頷いた。ブルーグレイの瞳《ひとみ》がじっと僕を見つめた。

「名前は?」

「リュウ。サイキ・リュウ」

クロードはゆっくり頷いて、再び親父に目を戻した。

「お前がこの町にいたとは知らなかったよ」

親父はいった。

「五年間をここで過ごした。そして七年ぶりに、戻ってきたのだ」

クロードはいった。

「いつ戻ってきたのだ!?」

粕谷が叫ぶように訊ねた。クロードは振り返り、粕谷を見つめた。

「あなたが知らない間にだ。B29が私を運んだ。飛行場の管制員が、すべて私に従う後輩だった晩に」

僕は、はっとした。B29が着陸する姿を僕は見ている。

「それ以来、ずっと町に潜んでいたのか」

クロードはニヤッと笑った。

「この町には空き家がぐっと増えたからな」

「何をする気だ? クロード」

親父がいった。

「〝校長〟が私の父から奪ったものを取り返す。そしてもう一度、作り直す」

「そんなことをしても、〝黄色いフランス人《イエロウ・フレンチ》〟は喜ばないぞ」

「喜ぶさ。息子が父親のあとを継ぐのだ。喜ばない親はいない」

「ちがう。それはちがうぞ、クロード」

親父は悲しげに首を振った。

クロードは、すっと親父から視線を外した。そして一歩さがり、並んでいる四人の顔を見渡した。

「この町はすでに制圧した。じき、私のチャーターした船が、町の住人と財産を運びだす。船は、私が建設した新たな町に向けて出港するはずだ」

「教育生もか」

親父が訊ねた。

「当然だ。養成所の所在地が変わるだけで、講師の顔ぶれはほとんどそのままだ。ただ、〝校長〟は、私が受け継ぐ」

「愚か者め。そんなことができるものか」

粕谷が歯をくいしばっていった。クロードは振り返った。

「あなたには死んでもらう。父のあとを継ぐ私が、第一番にしなければならない仕事だ」

それからいずみを見た。

「イズミ、君に会うのも久しぶりだ。最後に会ったとき、君はまだ十歳だった。僕たちは、年の離れた兄妹《きょうだい》の演技をしたものだ」

いずみは硬い表情でクロードを見つめた。

「わたしも殺すのね、父と一緒に」

「復讐《ふくしゅう》は、私で終わりにしたい。もし君を生かしておけば、今度は私が狙われる立場になる」

「クロード、やめろ。お前の考えているのは、〝黄色いフランス人《イエロウ・フレンチ》〟が最も望まなかったことだ」

「リョースケ、あなたが本当に引退していることを私は望んでいた。ここで会った以上、あなたにも秘密を守ってもらわなければならない」

「………」

「あなたと、あなたの息子には、我々と一緒に新しい町のメンバーになってもらう。あなたは講師として。あなたの息子はきっと優秀な生徒になるだろう」

「断わる」

親父がいった。

「俺は、息子をスパイにはしない」

「あなたには断わる権利はない。断われば生命を失うだけだ」

どうしてこうなっちゃうわけ。僕は、ただただ平和な青春を過ごしたいだけなのに。

「死ぬのも嫌だけど、スパイも嫌だよ」

僕は親父に日本語でいった。

「そういってよ」

クロードが微笑んでいった。

「今日は、君の運命の日だ。人は誰も、成長しなければいけない」

完璧《かんぺき》な日本語だった。

「僕の成長は、受験勉強をちゃんとして、大学に行き、地味でも、まっとうな仕事につくことです」

僕はいった。親父がぶったまげたような顔で僕を見つめたが、僕はつづけた。

「スパイの仕事は刺激があるでしょうし、面白いかもしれません。でも僕は、世界のカラクリを裏側からいじくりまわしたいとは思わない。日曜日にファミリー・レストランに行って千五百円のステーキディナーセットを家族に食べさせて喜ぶ、平凡なサラリーマンパパでいいんです」

クロードも言葉を失ったようだ。僕は今までつかえていたものがおりたような気分で喋《しゃべ》りまくった。

「アルバイトで探偵をやるのだって、好きでやってるわけじゃない。だいたい卒業が危ないんだ。いいですか？　目下の僕の一番の悩みは、三年間で高校を卒業できるかどうかなんです。お願いだから、スパイとか、復讐とか、そういう騒ぎに僕を巻きこまないで下さい。僕は平和が好きだ。平凡が好きです。僕の楽しみは、バイクの後ろに女の子を乗っけて海に行き、アイスクリームを食べたりすることであって、銃の撃ち方を覚えたり、爆弾の作り方や、錠前の外し方を勉強することじゃない。そんなことをするくらいだったら、死ぬほど嫌いだけど、数学や日本史の勉強をする方がいい。どうか、お願いだから、僕をほっておいて下さい！」

誰も何もいわなかった。親父はあきれたように首を振った。粕谷が、不意に喉《のど》の奥でくっくと音を立てた。見ている間にその音は大きくなり、笑い声に変わった。身を半分に折り、おかしくてたまらないというように笑い始めた。

いずみはといえば、今にも泣きだしそうな顔で唇をかみしめている。

「何がおかしい⁉」

クロードが粕谷に怒鳴った。粕谷は笑いすぎて、しばらく答えられなかった。かたわらにいた兵士が銃口で粕谷の肩を小突いたほどだ。

「おかしいじゃないか、クロード。私も君も同じことを考えた。その根底には、エージェントほど素晴らしいビジネスはない、という思いがあったからだ。だが、この若者はどうだ？　さんざん危険を味わい、幾度も殺されそうになったというのに、射撃より数学の勉強の方が大切だという。負けだよ、クロード。私も彼を、一流のエージェントにしようと思った。だが、彼には、それは向かない。あきらめることだ。大金も、スリルも、そして世界を動かすという興奮も、彼にはこれっぽっちも魅力じゃないのだ」

「あたり前だよ」

僕は親父にいった。親父はにやっと笑ってみせた。

「君は死ぬのが恐くないのか？」

クロードが僕を見つめ、いった。

「恐いよ、それは。でも人殺しになるのも嫌だ」

クロードはすっと息を吸いこみ、目をそらせた。

「もういい、わかった。君らの処分は、出航準備が整いしだい、決定する」

兵士が僕らをその部屋から連れだした。

四人は三組に分けられて、〝監獄〟に入れられた。親父と粕谷がそれぞれ別の部屋に、僕といずみは同じ部屋だった。並んでいる〝監獄〟の他の部屋には、クロードに従わなかったらしい保安部員や、本部の職員が閉じこめられている。

いずみはしょんぼりとベッドに腰をおろした。僕は鉄格子にもたれかかった。

しばらく二人とも口をきかなかった。やがて、いずみがぽつりと訊《たず》ねた。

「どうして、あんなことといったの？」

「あんなことって？」

「教育生になりたくないってこと。殺されちゃうのよ」

「殺されるかどうかわからないだろ」

いずみはあきれたように目をみはった。

「だって、逆らうことはできないのよ」

「そういうの嫌いなんだ。人から押しつけられて、自分の生き方を決めるのが」

「信じられない」

いずみは首を振った。

「信じられないのは、君の方さ。十七なのに——年も嘘じゃなければだけど——、ファッションとか、お化粧とか、ボーイフレンドとかに、興味がまったくないのかい？」

「ないわけじゃないわ。許されなかったのよ！」

いずみは激しい口調でいった。

「だから、そういう考え方が嫌いなんだ。許されないから、とか。許されないなら反抗すればいいんだよ。年頃の女の子が男の子に興味を持ったりするのは、あたり前なんだぜ」

「——あたり前のことがわたしにはできなかったのよ」

いずみは低い声でいった。

「だから、誘ったろ。今度、バイクでホコテン行こうって」

「まだそんなこといってるの？　あれは演技よ、全部！　あなたを信用させるための」

「知ってるよ。じゃあ訊《き》くけど、あのとき君は、行きたいとは、これっぽっちも思わなかったのかい？」

「………」

　いずみは口を閉じた。

「頭にきたよ、だまされて。でも考えてみれば、君はそういうことばかりを教えられてきたんだ。だったら、そうじゃないこと、普通の女の子らしいことを、今度はやってみれば」

「そんなチャンスはないわ。殺されるのよ、わたしたち！」

「スパイの勉強は、すぐあきらめろって教えているのかい？　敵につかまって、銃殺されそうになったら、あきらめて、お祈りしろって」

「なんて人なの？　まだ助かると思ってるの？　クロードが見逃してくれるとでも考えてるの⁉」

「わからないよ。殺される前に、逃げだせるかもしれない」

「冗談でしょ」

　いずみはぐるりと目玉を回して見せた。涙がその目尻《めじり》に光っていた。

「終わりよ、もう」

「まさか」

　僕はいって、鉄格子から、廊下に見張りの兵士が立っていないことを確認すると、右のソックスに手をさしこんだ。

　見ていたいずみの目が丸くなった。

「――どうしてそれを⁉」

「何となく。こんなこともあるかと思って」

錠前破りに使う金属棒をさしだして、僕はいった。本当は、粕谷たちに追われて〝学校〟に逃げこんだとき、二本あるうちの一本を、親父が、「持ってろ」といって手渡したのだ。親父たちの拳銃《けんじゅう》や自動小銃は取りあげられたが、これは身体検査にひっかからなかった。

「この鉄格子、開けられる？」

いずみは僕の手の中の金属棒を見つめ、小さく頷《うなず》いた。

「じゃあ行こう」

僕はいった。

4

鉄格子が開くと、僕らは廊下に出た。兵士に見つからないうちに、親父を出さなければならない。

いずみはいずみで粕谷を自由にしようと考えているのは明らかだ。僕らはひとつひとつ〝監獄〟を見て回った。

先に見つけたのは、粕谷が入れられた〝監獄〟だった。

いずみが鍵穴《かぎ》にとりかかるのを見て、僕はいった。

「そいつを開けたら、うちの親父の番だからね」

「わかってるわ」

いずみは唇を噛《か》んで頷いた。粕谷は、無言で娘の働きを見守っている。

鉄格子が開いた。粕谷は無言で出てくると、いずみの手から金属棒をひったくった。

「パパ！」

粕谷の左手がスーツの襟のあたりにのびた。次の瞬間、薄い、カミソリの刃のような金属片が、僕の喉にあてがわれていた。

「中に入ってもらおう、リュウ君」

「やめて、パパ。約束をしたのよ」

「悪いが、それはなしだ」

粕谷は冷ややかにいった。いずみは呆然《ぼうぜん》と見つめている。

「そんなことだろうと思ったよ」

僕はいって首を振った。そして次の瞬間、膝《ひざ》で粕谷の股間《こかん》を蹴《け》りあげた。

粕谷は、うっと呻《うめ》いて前のめりになった。さすがに予測できなかったようだ。いずみが粕谷に体あたりをした。粕谷の体が鉄格子にぶつかり、大きな音が廊下に響いた。粕谷の右手から金属棒が落ちた。

僕はそれを拾いあげて走った。いずみがあとを追ってくる。僕は走りながら振り返った。粕谷は一瞬、恐ろしい顔でこっちを見つめたが、僕らとは反対の方向に走った。武器をとりにいったようだ。

「お待たせ！」

親父の〝監獄〟の前まで来ると、僕は叫んだ。ぐずぐずしてはいられない。

ベッドにひっくりかえっていた親父は、さっと起きあがった。

「あんまり遅いんで、忘れられちまったかと思ってたぞ」

いずみが大急ぎで鉄格子を開けにかかった。親父が眉《まゆ》を吊《つ》りあげた。

「よく、彼女が協力してくれる気になったな」

「原宿ホコテン・デートで釣ったの」

「何をしている！　動くな！」

声がして、さっと僕らは振り返った。M16を構えた兵士が、僕らが走ってきた廊下の手前に立って、こちらに狙いをつけていた。

銃声が轟《とどろ》いた。兵士が前のめりに倒れた。

背後に拳銃を手にした粕谷がいた。

「いずみ、来い！」

叫んだ。鉄格子が開いた。

いずみが僕を見た。

「行かないと、パパはあなたたちを撃つわ」

目に涙がたまっていた。

「何をしている！　早く来んか！」

粕谷は死んだ兵士からM16を取りあげて怒鳴った。

いずみが不意に僕に唇を押しつけた。

「もし、生きてここを出られたら……もし東京で会えたら……約束を忘れないで」

再び銃声が轟いた。廊下の端に現われた別の兵士に、粕谷が銃弾を浴びせたのだ。

「わかった。都立K高校に会いにおいで」

いずみは頷いた。そしてくるりと踵《きびす》を返し、父親に向かって走りだした。

「どうする？　父ちゃん」

僕は外に出た親父に訊《たず》ねた。

「クロードを止めるんだ」

「まだそんなこといってんの？」

「いいか、粕谷は、絶対に住人をクロードに渡さないといった。それはつまり、住人は生きてこの町を出られない、という意味だ」

「それって……」

オトロシイ可能性が僕の頭をめぐった。００７映画のラストシーンみたいに、秘密基地が大バクハツするとか。

「いいから来い！」

親父は叫んで走りだした。あとから来て撃たれ、もがいている兵士の手からM16をひったくる。

廊下の曲がり角に、銃声を聞きつけたのか、別の兵士が二人ほど駆けつけた。

僕らを見つけ、さっと膝をついてM16を構える。

「隠れろっ」

親父が怒鳴った。隠れろといわれても左側は壁で、右側は鉄格子だ、隠れる場所なんてない。

銃声が響き、兵士のひとりがひっくり返った。

曲がり角の反対側から粕谷といずみが現われた。

「粕谷っ」

親父がいった。粕谷がこちらを見ると同時に、残った兵士が発砲した。粕谷の体がぐらりと揺れ、膝をついた。

「くそ」

親父は呟《つぶや》いて、ろくに狙いもせずにM16をぶっぱなした。兵士が肩を押さえてうずくまる。

「冴木!」

いずみに支えられて立ちあがった粕谷が、青い顔で叫んだ。

「決着をつけるか!? 冴木!」

「やめてよ、パパ！」

いずみが振り仰いだ。

「この次だ！　クロードを止める！」

親父が粕谷とにらみあいながら叫んだ。

「奴は自分の敗北を知るのさ」

嘲《あざ》けるように粕谷はいった。

「奴の船は終わりだ！　日本の領海を出たとたんにな」

「貴様！　住人を売ったな」

親父がいった。僕は思わず訊ねた。

「どういうこと？」

「奴は、住人の脱出を阻止するために、この町の所在地と住人のリストを各国の情報機関に密告したんだ。あらかじめ情報をコンピュータにインプットしておけば、ボタンひとつで無線が送信する」

「そういうことだ」

わき腹を押さえ、喘《あえ》ぐように粕谷はいった。

「住人の中には、死刑の判決を受けている者や、各国の情報機関が血まなこになって追っている裏切り者がいる。そいつらを手にいれようと、今頃は、世界中の原潜が日本海に殺到しているだろうな」

「でもどうやって、その船を見分けるの？」

「船は大型になるだろうし、定期航路からも外れている。一発でこの町を出た船だと見抜かれるだろう。仮に旅客機で脱出しても同じことだ」

親父は答えた。

「自衛隊は？　海上保安庁は？」

「公海上に出れば何の権限もない」

「奴は終わりだ。この町以外に安息の地は存在しない」

唇を歪《ゆが》めて粕谷はいった。

「クロードを止めなければ……」

「行かせはせん」

粕谷がM16の引き金をひいた。いずみが無言で銃身をはねあげた。銃口から吐きだされた弾丸がミシンのように天井や壁に穴を穿《うが》った。

「やめて！　もう！」

「邪魔をするな！」

粕谷がいずみの体をつきとばした。

そのとき、ズン！　という腹にこたえる衝撃とともに建物が揺れた。僕らは床に投げだされた。バラバラと天井から漆喰《しっくい》が落ちてくる。

粕谷が目を大きくした。

「クロードの奴……」

「爆破を始めたな。本部を破壊して、持ちだせなかった分の住人の記録を消すつもりだ」

親父が呟いた。再び轟音《ごうおん》とともに衝撃がきて、立ちあがりかけていた僕は鉄格子に叩《たた》きつけられた。

「ヤバイぞ、リュウ」

「どうすんだよ！　騎兵隊は来ないの⁉」

「あいにくと営業時間外だ」

「クロード！　……クロード！　……」

粕谷が叫んで階段の方角に走りだした。重要書類やコンピュータの破壊をくいとめるつもりなのだろう。

「いずみちゃん？　港はどこにあるか知ってるかい⁉」

呆然《ぼうぜん》とそれを見送っていたいずみに親父は訊ねた。

「本部から南に二キロほど行ったところです」

「わかった。君も来るんだ」

いずみは僕と親父を見つめ、小さく首を振った。

「パパを見捨ててはいけない……」

「クロードはもうここにはいない。この本部ごと我々を吹きとばすつもりだ」

「でも……」

「いずみ！　行こう！」

「ごめんなさい！」

いずみは叫んで階段の方に駆けだした。

「いずみ！」

次の瞬間、背後から巨大な手でつきとばされたような爆風をくらって僕は床に叩きつけられた。

エレベーターの扉がふっとび、その内側から炎が噴きだしている。

「弾薬庫に引火したのかもしれん！　急げっ」

額に傷を作った親父が僕をひきずり起こして怒鳴った。

僕と親父は地下駐車場に向けて走りだした。階段の手前には落下した天井が大きく梁《はり》をのぞかせている。

駐車場には、僕らが乗ってきたロールスロイスやランドクルーザーが止まっていた。

一瞬、他の〝監獄〟に残された人たちのことが頭をよぎった。このまま本部に閉じこめられていれば、皆、焼け死ぬか、崩れてきた建物に押し潰《つぶ》される。

「親父！　まだ閉じこめられている人がいるよ！」

「何？」

「ラングレンやペトローヴァ、それに〝将軍〟たち！」

キイをつけっ放しの車はないかとのぞいて回っていた親父は一瞬あっけにとられたように僕を見た。

「ほっとけば、みんな死ぬよ」

「くそっ」

親父は呻《うめ》いた。

「リュウ、ここにいてかっぱらえそうな車を捜せ。俺は〝監獄〟に閉じこめられた連中を解放する」

「了解」

親父が身をひるがえして本部の内部に戻っていくと、僕は車を調べ始めた。

爆発の衝撃はあれから襲ってこない。代わりにキナ臭い匂いがあたりに漂い始めた。

建物に火が回ったのだ。火災警報のけたたましいベルが響きだした。

ランドクルーザーは、どれもキイをつけておらず、扉はロックされていた。

「くそっ」

僕は一台のランドクルーザーの横っ腹を蹴《け》りつけた。ロールスがその向こうに駐車されていた。その運転席の窓をのぞいた。

あった。ありました。

キイは差しこまれたままになっている。

僕はドアを開いた。あとは親父が戻ってくるのを待つだけだ。

たちこめるキナ臭い匂いはますます強くなっていた。それとともに、空気中に、薄い靄《もや》のような煙が浮かんでいる。

目が痛くなってきた。何が燃えてでる煙なのか、吸いこむと涙が出て、喉《のど》がひりつく。

僕はロールスの運転席にすわり、いつでも車を出せる態勢で、駐車場の出入口を注視した。煙はそこから漂ってくる。

親父、早くしろ、遅いよ。

親父をもう一度危険な場所に戻らせた責任を感じ、僕は唇をかみしめた。

そのとき、出入口にたちこめた煙の中に、ぼんやりと人影が浮かんだ。

「親父！」

人影は大きくなり、はっきりとした。僕は息を呑《の》んだ。

僕は叫んだ。

咳《せ》きこみながら現われたのは、拳銃《けんじゅう》を握りしめた大佐だった。

「どけ！　小僧」

大佐は真っ赤な目を瞠《みひら》いて怒鳴った。

「親父は？」

「お前の親父など知らん！　監獄のドアが自動的に開いたから出てきたんだ」

親父にちがいない。きっと電動で一気に開閉するスイッチを見つけたのだ。

「〝将軍〟はどうしたの⁉」

「もう老いぼれに用はない。どかんと撃ち殺すぞ」

大佐が拳銃の狙いをつけた。仕方なく僕は、運転席を降りた。大佐は右手の拳銃を僕に向けながら、運転席に乗りこんだ。

「あばよ、小僧」

いってエンジンを始動する。ロールスはゆっくりと後退し、駐車場の出口の方に向きを変えた。

僕はそれを見送る他なかった。

駐車場の坂を登り始める。

一発の銃声が地下駐車場にこだました。ロールスが、がくんと停止し、クラクションが鳴りっぱなしになった。

僕は振り返った。親父とラングレンに支えられた〝将軍〟が出入口に立っていた。

〝将軍〟は右手の拳銃を親父に手渡した。

「馬鹿者が……」

つぶやいて、激しく咳きこんだ。

僕はそれを見て、ロールスに駆けだした。サイドウインドウに穴が開き、顔を血で染めた大佐がハンドルにつっぷしている。ドアを開けると、大佐の死体が転げ出た。

運転席に乗りこみ、ロールスをバックさせた。ハンドルが血まみれで、吐きそうになるのを僕は必死でこらえた。

親父と〝将軍〟、ラングレンとペトローヴァおばさんが乗りこんできた。

「いずみと粕谷は⁉」

僕はルームミラーを見て訊《たず》ねた。親父たちの顔には、まっ黒なススがついている。

「わからん。炎は二階からもあがっている」

親父は喘《あえ》ぐようにいった。

そのとき、とり残されていた保安部員や職員たちがいっせいに、駐車場の出入口から飛びだしてきた。

ぐずぐずしていると、また、大佐のように車を奪おうとする者が現われるかもしれない。僕はアクセルを踏みこんだ。

ロールスは、重々しい唸《うな》りをあげて、駐車場の坂を駆けあがった。

前門の原潜、校門のキッス

〝本部〟の外に出たとたん、突風と横なぐりの雨がロールスに襲いかかった。ワイパーはまるで役に立たない。

が、さすがにロールスロイス、それ以外の点では、運転にはまったく不安がない。ゴーストタウンと化した町を、僕は走らせた。道案内は、後部席のラングレンだ。ルームミラーの中で、黒煙と炎を吹きあげる〝本部〟が遠ざかった。炎は、強風のあおりを受け、見る見る、建物の二階部分を包みこんだ。

いずみと粕谷はどうなったろう――そう考え、助手席にすわる親父の顔を見た。親父が僕の視線に気づいて、見つめ返してきた。

考えを言葉にするまでもなく、親父はいった。

「いいから走らせるんだ、リュウ」

僕は頷《うなず》いて、フロントグラスに目を戻した。唇には、まだいずみの押しつけてきた唇の感触が残っている。

ロールスは、空港の滑走路を回りこむようにして、港へ向かっていた。

空港に人影はない。格納庫も固くシャッターを閉ざしている。この暴風雨下では、ヘリや小型機を飛ばすのは無理なようだ。

「そこの森を抜ければ、港に出る」

ラングレンが背後からいった。

滑走路を囲んだフェンスの向こうに、森に通じる一本道があった。僕はその道に入ると、アクセルを踏みこんだ。

ロールスは、ずっしりとした響きをあげて、スピードを増した。

「この町は、終わりじゃな……」

〝将軍〟が呟《つぶや》いた。

「初めから存在しない町だったのですわ、〝将軍〟」

ペトローヴァおばさんが低い声でいった。

ラングレンがほっと溜《た》め息をついた。

「また、お前と逃げ回る暮らしが始まるのか……」

「あなたと一緒なら、不安はありません」

ナミダが出そう。確かに、この町の存在は、すべての意味で「悪」だったのではないかもしれない。が、平和に暮らすことを願うのと、殺人技術を人に教えることは別だ。

自分が平和に暮らせたとしても、自分の教え子が誰かの平和を奪っているとしたら、決して幸福な気持にはなれないはずだ。

「リュウ、スピードを落とせ」

森が目前にまで近づいてくると、親父はいった。

「どうするつもり？」

「クロードを止めるんだ。奴がやろうとしていることを見過ごすわけにはいかん」

「でも、クロードには武装した部下がたくさんいるよ」

「奴らをこのまま行かすことはできない」

「どうして？」

「俺の哲学が許さん」

テツガク。親父にそんなものがあったとは。

だが親父の顔はあくまで真剣だった。

ラングレンの言葉通り、森の中を抜ける道が切れ目にまで近づくと、切りたった崖《がけ》を斜めに降りる坂が見えてきた。その下方が、入り江になっていて、天然の港が形づくられている。

岩場と岩場をつなぐように、コンクリートの防波堤がさし渡されていた。防波堤の形は、海に向け一文字につき出ている。こちらから見て、防波堤の右側には、何隻かのクルーザーが繋留《けいりゅう》されているが、うねりに大きく上下しているだけで人の姿はない。

防波堤の手前、一部をコンクリートで舗装された砂浜に、何台もの車と人が固まっていた。

海は、大荒れに荒れていて、港付近は、波が白く泡だっている。

入り江を形づくる先端の岩には、激しい大波が襲いかかり、空高く白い飛沫《しぶき》をはねあげていた。

「いったいどうやって脱出するのかな」

僕は下り坂の手前でロールスを止めていった。固まっている人間たちには、ちょうど頭上にあたるので、見つかる心配はない。

「沖合を見てみろ」

親父がいった。

僕は目をこらした。入り江から、数百メートルほど沖に、大型のタンカーが停泊している。その中間を、六人乗りくらいの荷物と人を満載したスピードボートが、波にはねあがりながら、矢のようにつき進んでいた。

「防波堤からあのボートでタンカーまでピストン輸送をしているのさ。この波じゃ、タンカーは接岸できんからな」

「船酔いしそう」

「死ぬよりはマシさ」

「みんなあせって逃げだしているのかな」

「住人は、もう粕谷が自分たちを〝密告〟したことに気づいているだろう。ここに残るか、クロードに従うか、ふたつにひとつとなれば、そちらを選ぶさ」

「陸づたいに脱出することは考えない？」

「陸に戻ってどうする？　日本は一度として、彼らの入国を認めていないんだ。強制送還が待っているだけだ」

「祖国へは帰れない人間ばかり、というわけね」

スピードボートはようやくタンカーに辿《たど》りつき、接舷《せつげん》した。荒れ狂う海の上を渡された梯子《はしご》を、決死の思いの人々が登っていく。

「どうするの？」

マサカ、あのタンカーまで出かけていって、クロードと対決するつもりではないだろうね。スーパー・オールマイティ・ハイスクール・デティクティブを自任するリュウ君も、あの海の上でドンパチだけは望みたくない。

「クロードはきっと、全員が乗船するのを待って、乗りこむはずだ。それを待つ」

「でもクロードを倒したら、あの船はどうなるの？」

「さまよえるオランダ人というところだ」

親父は低い声でいった。

「脱出に成功すれば、の話だが」

「これを使うがいい」

〝将軍〟がいって、後部席の物入れから取りだしたものをさしだした。

軍用の望遠鏡だった。

「カスヤはいつもここにこれを入れておった」

親父は無言で受けとると、ロールスのドアを開けた。装甲の厚い車内では、ほとんど感じなかった、咆哮《ほうこう》のような海鳴りと風の音が車内に吹きこんだ。

親父は見る見るズブ濡《ぬ》れになりながらも、双眼鏡を目にあてた。

「乗船の進行は八分というところだな。あと二往復もすれば、住人はすべてタンカーに乗りこむだろう」

「それまで待つの？」

「いや、ここから崖づたいに下に降りる」

「護衛の数は？」

「クロードをのぞいて四人だ。順次乗船させているらしい」

「ほっといても、脱出が難しいなら、ここはひとつ静観したら？」

いってみた。だが親父は首を振った。

「いや、クロードは俺が止める。お前はここに残っていろ」

「残っていろっていわれたってねえ――」

親父は僕の言葉を最後まで聞かず、くるりと背中を向けた。

車が下るための、見通しのいい坂を避け、ごろ、た、石が転がる崖を手さぐりで降り始める。

僕は溜め息をついた。撃たれた傷も負っているというのに、見てはいられない。

後部席の三人を見ていった。

「僕も行きます。あとはご自由に」

両手両脚を使いながら崖を下る親父を追って、ロールスを飛びだした。

体全体を持ちあげるような、強烈な雨まじりの突風が吹きつけてくる。頬や額にあたる雨粒が、まるでつぶてのような痛みを与える。

目を開け、まともに息をすることもかなわないほどの風雨だ。海に近い分、より激しくなっている。

親父は、濡れてすべりやすくなっている岩はだに、まるでヤモリのようにとりつき、そろそろと足場や手がかりを探っていた。

僕はそのあとを追って、降りだした。爪先《つまさき》にあたった小石がパラパラと落下し、親父は初めて気づいたように顔をあげた。

「馬鹿！　何しにきた？」

「僕のテツガクが、あんたにつきあえって」

親父の上唇が風でまくりあがり、白い歯が見えた。ひょっとしたら、笑ったのかもしれない。

崖の高さは、ビルにすれば三階分、そう十メートルはあるだろう。

つき出た岩の裏側に身を隠すようにして、クロードたちの目を逃れ、僕と親父はそろそろ下っていった。

幸い、激しい海鳴りで、ちょっとやそっとの物音は、ふもとの連中の耳には届きそうもない。それにクロードたちの視線はほとんど海上に向けられていて、ときおり振り返る護衛兵士も、車の下る坂ばかりを見ている。

何度か、手や足をすべらせ、真下に落っこちそうになりながら、僕と親父は、崖につき出た大岩の裏側に降り立った。

岩の反対側には、何台かの車が止まり、その向こうにクロードたちがいる。

「〝将軍〟たちはどうした？」

岩はだにぴったり背中を押しあてるようにしていると、親父が囁《ささや》いた。

「わからない。ご自由に、といって出てきたから」

親父は首を振った。

「いいかげんな奴だ」

「どっちがいいかげんだよ。息子をおき去りにするテツガクの持ち主と――」

「仕方がない、行くか」

親父は腰から拳銃《けんじゅう》を引き抜いて、岩の裏側をのぞいた。

僕の位置からは、ちょうど小岩の向こうにまっすぐのびた防波堤がある。今、そこでは、二人の護衛兵が、住人のスピードボートへの乗船を手伝っているところだった。

チャンスだ。

親父が上半身を岩かげからつきだし、拳銃を構えた。

二発の短い銃声が入り江にこだました。

僕は小岩の向こうに飛びだした。

クロードのわきに立っていた二人の兵士が右肩を押さえてもがいている。

クロードが啞然《あぜん》とした表情でこちらを見た。

親父が岩の上に躍りあがった。

「クロード……」

「サイキ！」

「お前を行かせるわけにはいかん」

防波堤では銃声に気づいた兵士が、膝《ひざ》をついてライフルを構えた。

「危ない、親父！」

そのとき、防波堤を洗っていた波の、ひときわ大きな一発が、兵士たちの背中に襲いかかった。

ひとりが波に押され海に投げだされ、もうひとりはライフルを捨てて、繫留《けいりゅう》用のロープ止めにしがみついた。

海に投げだされた兵士は一瞬で、白い波頭に巻きこまれ、見えなくなった。

「よく逃げだせたな」

クロードが親父を見つめていった。

「運がいいのさ、いつも運が味方する」

親父は右手にだらりと拳銃をさげたまま言い返した。僕はその言葉を聞いて、初めて粕谷に会ったとき、「麻呂宇」で聞かされた言葉を思い出した。

――すぐれた人間は、運も味方にする。

「どうしても私を止めるのか」

「止める。黄色いフランス人《イエロゥ・フレンチ》が生きていたら、きっと同じことを考えたはずだ」

「父は父だ！」

叫ぶようにクロードはいった。

「私は父を超える。父のようにセンチメンタルな生き方はしない！」

クロードがうずくまっている兵士の手からM16を奪いとった。

親父が身を躍らせた。フルオートの、乾いた連続発射音がして、岩が砕け散った。

「やめろ！　お前を撃ちたくないんだ！」

崖《がけ》のわずかな岩のすきまに背中を押しつけた親父がいった。

「あなたもセンチメンタリストだな、サイキ、私はちがうぞ」

クロードはいって、再びM16を撃ちまくった。親父の隠れている岩が削られる。破片が体のどこかにあたったのか、親父が歯をくいしばった。

「あなたと対立することはわかっていた。なぜなら、あなたは、父が最も愛した人間だったからだ。私以上に――」

撃ちつくして空になったM16を投げ捨て、クロードは、もうひとりの兵士のヘッケラー&コックを拾いあげた。

ブルブルッという銃声がこだまする。削られた岩の破片が細かくとび散った。

僕も小岩のかげにとびこんだ。出れば、ハチの巣だ。

ゴオンというエンジン音が轟《とどろ》いた。僕は振り返った。崖を下る坂をロールスが猛スピードで降りてくるところだった。

運転しているのが誰だかはわからない。

クロードは向きを変え、ロールスに銃の狙いをつけた。

ヘッケラー&コックのサブマシンガンが火を噴いた。ロールスのフロントグラスが粉々に砕け散った。

ロールスがブレーキを踏み、雨と波で濡れたコンクリートの上で横すべりを起こした。駐車されている住人たちを運んできた車の列につっこんだ。

轟音《ごうおん》とともに炎があがった。それでもロールスは生きていた。エンジンが再び唸《うな》りをあげ、ねじまがり、ひきちぎれたスクラップの山から抜けだした。

再びクロードがサブマシンガンを発射した。穴だらけになりながらも、ロールスはスピードをゆるめなかった。

初めてクロードの顔に恐怖が浮かんだ。砂浜を走りだした。ロールスはそのあとを追った。

炎が並んだ車に引火し、次々に爆発音が響いた。

「リュウ！　逃げろ」

親父が叫んだ。

火は、僕の隠れている岩のすぐ前の車にまで及んでいた。

僕は足をとられる砂地を駆けだした。

腹に響く音とともに、熱い風が僕の背中を打った。

前のめりに倒れた僕は砂浜に顔からつっこんだ。

ようやく体を起こして、手や顔についた砂を落とすと、崖を背に追いつめられたクロードが見えた。

ロールスがゆっくりと前進し、クロードの下半身を崖に押しつけた。

クロードが叫び声をあげた。

だがロールスは止まらなかった。クロードの体が歪《ゆが》んだ車体とバンパーによって、岩肌にぐいぐい押しつけられてゆく。

クロードの目が大きく広がった。車体のきしむ嫌な音が、メリメリと響いた。

クロードの両手が力なくロールスのボンネットを叩《たた》いた。

「ノー！　やめろ！　やめろ！」

ロールスはやめなかった。ついにクロードの叫びがやんだ。

クロードの上半身がぐんにゃりと、ロールスのボンネットにもたれかかった。胸の悪くなるような光景だった。

ロールスのドアが開いた。

スーツのそこら中が裂け、髪を乱し、血を流す男がよろめき出た。

粕谷だった。ひとりだ。

粕谷は大きく喘《あえ》いだ。血に染まった指をもたげ、クロードを指さした。

「ざまあ、見ろ……」

肩で息をしながらいった。

「粕谷、貴様！」

親父が叫んだ。

「撃て！　撃ってみろ！」

粕谷はよろめく足を踏みしめて、仁王立ちになった。

「撃てよ！　冴木。どうした？　弾がなくなったか⁉」

粕谷は丸腰だった。

親父が唇をかみしめ、拳銃を構えた。

「やめろよ、親父！　相手は丸腰だぜ」

僕は叫んだ。

「だがな、リュウ！」

「やめろって！」

「くそっ」

親父は呻《うめ》いた。銃口がゆっくりとさがる。

僕は、ほっと力を抜いた。

「ふん」

それを見て、粕谷は笑みを浮かべた。ゆっくりと砂浜を歩き始める。

乗客の残ったスピードボートが繋留された防波堤に向かうようだ。

「どうするつもりだ！　粕谷」

親父が叫んだ。

「さあな……。クロードの残したタンカーを頂こうか。行く先は船長が知ってるだろう」

「馬鹿をいうな。お前が、あのタンカーを逃げられなくしたんだぞ！」

粕谷は防波堤からスピードボートに足をかけ、笑みを浮かべた。

「やってみるさ」

そのとき、沖合に見えるタンカーの後方で大きく水面が盛りあがった。

「おおっ」

親父と僕は同時に叫んでいた。

荒れ狂う海面を割って、黒く巨大なものが出現しようとしていた。

「親父……」

背後を見た粕谷の笑みが凍りついた。

「原潜だ……」

タンカーに比べても決して見劣りしない大きさの、原子力潜水艦が海中から浮上してきたのだった。

「お前の密告信号を受けとったのさ。どこの陣営かはわからんが、一番乗りで獲物を奪いにきたわけだ！」

親父が苦々しく吐き捨てた。

粕谷は大きく目を瞠《みひら》き、海を見つめていた。

巨大な黒い怪獣のような原潜は、荒れ狂う波に逆らいながら、ゆっくりとタンカーにその身を近づけようとしている。

「俺の住人は渡さん！　どっちの陣営だ！　艦長と話をつけてやる！」

粕谷は叫び、ヒステリックに、スピードボートの乗客たちを怒鳴りつけた。

「降りろ！　降りるんだ！」

乗客は、高齢の東洋人夫婦とボートの船長らしい白人だった。抗議しようとして立ちあがった白人に、粕谷の右手が閃《ひらめ》いた。

パッと血しぶきがその喉《のど》から飛んだ。〝本部〟で僕につきつけた、襟もとのカミソリを使ったにちがいない。

防波堤に残っていた兵士が粕谷につかみかかった。喉にかけられたその腕をつかみ、粕谷は一本背負いの要領で海に投げとばした。

どこにそんな体力が残っていたかと思うほどの強さだ。

波に呑《の》まれた兵士は、すぐに防波堤に叩きつけられ、沈んでいった。

乗客が互いに手を貸しあいながら防波堤に降り立つと、粕谷は木の葉のように揺れるスピードボートにとび移った。

ボートの後部には、夫婦の荷物らしいトランクが積みあげられている。それを海に蹴《け》落とし、もやいをほどいた粕谷はスピードボートのエンジンを始動した。

粕谷が舵輪《だりん》を回しながら、こちらを見た。

白い歯をむきだして笑う。

「あばよ、冴木!」

「いずみちゃんはどうしたんだ⁉」

「さあな。また娘を作るさ、今度は息子かな!」

何て奴だ——僕は息を呑んだ。

だが僕が何かをいう暇もなく、ボートはくるりと向きを変え、波頭を叩くように走り始めた。一直線に沖合を目ざしている。

「本当に話をつける気かな……」

「奴ならできるかもしれん」

親父がひび割れた声でいった。

スピードボートは、船体を大きく海面に打ちつけながら、まっしぐらに原潜を目ざしている。

今、原潜はハッチを開き、内部からゴムボートをひきだしていた。タンカーに乗組員を乗り移らせるつもりのようだ。

「殺せばよかった？」

呆然《ぼうぜん》とそれを見送りながら僕はいった。

「……いや、丸腰の奴を撃つのは、やっぱりマズいさ」

親父は首を振り、手にした拳銃《けんじゅう》に目を落とした。

それから車と崖《がけ》にはさまれたクロードを見た。身動きひとつしない。

「死んだのかな」

「多分な……」

僕はクロードから目をそらし、再びスピードボートを見た。

スピードボートは、タンカーまであと百メートル足らずのところまで迫っていた。突然、その行く手の海面が盛りあがった。

「親父！」

ボートはよけきれず、その水面の盛りあがりにつっこんだ。

猛スピードを出していたボートは、舳先《へさき》をとられ、一瞬にして宙を舞った。逆とんぼを打つように、くるくると船体を回転させ、波間に叩きつけられる。まるでマッチ細工のようにばらばらに船体がとび散った。

ひとたまりもなく、粕谷の体が海に沈むのが見えた。が、次の瞬間、巨大な泡がそこから吹きあがる。

「来やがった……」

親父が呟《つぶや》いた。

もう一隻の原潜が、タンカーをはさむようにして浮上してきたのだった。その大きさは、先の原潜に、勝るとも劣らない。

「ロサンゼルス級ね……」

声に僕は振り返った。ペトローヴァおばさんがラングレンと並んで、背後に立っていた。

「無事だったんですね」

「カスヤは自転車でここまでやってきたのよ。そして私たちにカミソリをつきつけて、車を奪った……」

「〝将軍〟は？」

親父が振り返って訊《たず》ねた。

「車を降りるのを拒んだのだ」

ラングレンは肩をすくめた。

「どちらがどの国のか、わかりますか？」

親父が訊ねた。

「あとから浮上したロサンゼルス級がアメリカ、タンカーの向こうにいるノベンバー級がロシアのものだ」

今、二隻の原潜は、タンカーをはさんで浮かんでいた。

「どちらも、カスヤが発信した極超短波のメッセージを受信した、本国の海軍情報部が送りこんだにちがいない」

ラングレンはいった。

「おっとろしい。第三次世界大戦ぼっ発かな」

「どうかな……。どちらもが獲物をゆずらんとなると厄介だ」

タンカーには、それぞれの陣営にとっての裏切り者と情報の塊が何人も乗っている。

簡単には互いにひきさがりそうもない。

「魚雷をうちあうとか」

「こんな荒天の水上で、それはありえない」

ラングレンは、さすがにプロらしく、冷静にいった。

僕ら四人は、黙りこんで海を見つめた。激しい雨や風は、もう気にならなかった。

二隻の原潜とタンカーは、どれも動きだす気配はない。時間が流れた。

不意に風を切り裂いて、サイレンが聞こえた。サイレンは、入り江の向こうから流れてくる。

「ようやくか……」

親父がつぶやいた。僕はのびあがった。

まさしく、波にほんろうされながらも、それを蹴たてて進んでくる船影は、海上自衛隊と海上保安庁の、日の丸を立てた護衛艦と巡視船だった。

「日本にも受信者はいたわけね……」

灰色に塗られた日本側の船は全部で四隻だった。散開して、潜水艦とタンカーを包むような陣形をとる。

「——警告する——警告する——この海域は、日本の領海内であり、貴船は、領海侵犯をしている。ただちに、退去しなさい——」

日本語と英語、それにロシア語のアナウンスが、進んできた一隻の海上保安庁の巡視船のスピーカーから流れた。

「——退去しない場合、当方は、強制的な手段をとる——」

「本当かいな」

「無理だろうな。が、こうなった以上、奴らも誘拐のような真似はできん」

親父がいったときだった。

最初の原潜が、ふくらましかけていたゴムボートを艦内に撤収した。乗組員がそれにつづき、ハッチが閉まる。

まずノベンバー級が退却を決定したようだ。ゴボゴボと泡が船体を包んだ。

ゆっくりと、巨大な黒い怪獣は海中に没していった。

それを見届け、今度はあとから浮上した原潜の周囲にも泡が浮かんだ。

二隻の原潜は、まるで獲物をあきらめた獣のように、しぶしぶその場から姿を消していった。

潜航した原潜のあとには、大きな渦巻きが残った。それは、その場を離れるのをいやがった二隻の、最後の抵抗のようにも見えた。

やがて渦巻きがおさまると、四隻の日本船のうち三隻がタンカーに近づいた。

そして残る一隻、スピーカーで「警告」をした巡視船が防波堤めがけ進んできた。

巡視船が防波堤に横づけになると、タラップがおろされた。

まず制服をつけた海上保安官が降り立った。つづいて、スーツ姿の男が降りてくる。

男は、防波堤のつけ根で途方にくれたように佇《たたず》んでいる老夫婦に何ごとかを話しかけた。

それからこちらに向かって歩きだした。

島津さんだった。

僕は不意に、雨がやみ、風が弱まってきていることに気づいた。

頭上を振り仰ぐと、雲の切れめに青空がのぞいていた。

エピローグ

東京に戻って一週間が過ぎた。リュウ君の留年は決定的となり、いささかショックの日々を、僕は寝て過ごした。

タンカーに乗っていた人々がどうなったのか、日本政府は何ひとつ発表しなかった。だいたい〝町〟の存在自体が、まるでニュースにならなかったのだ。

そのあたり、親父に訊《き》くと、

「いかにも国家権力のやりそうなことさ」だと。

〝町〟で出た何人もの死者や怪我人は、小さく、「台風の直撃を受けたリゾート地で火災発生」という記事が新聞にのっただけだ。

クロードは病院に運ばれたが、やはり助からなかった。粕谷の遺体は、とうとうあがらなかった。

そして、いずみの遺体も〝本部〟の焼け跡から発見されなかった。

行ってもしかたがないと思いつつも、「平和な」学生生活を楽しむため、リュウ君、一週間の休養を終え、八日目の登校。

親子ともどもの無断欠席に、担任にばっちり嫌みをいわれ、それでもケナゲに授業を受けて、迎えた放課後。

さて麻雀、パチンコ、ナンパ、どれにしようかと考えあぐねつつ、我が都立K高校の校門を出た。

校門の前に一台のタクシーが止まっている。

そのかたわらを地下鉄の駅目ざして、歩きすぎようとしたときだった。

タクシーのドアが開き、背後に誰かが立つ気配。

「——お兄ちゃん」

声に、僕は思わず凍りついた。

振り返った。

涙と笑みに、顔をくしゃくしゃにした、いずみがそこに立っていた。

ジーンズにタンクトップ、スウィングトップという、普通の女の子のいでたちをしている。

「——い、ず、み……」

いずみが僕の胸にとびこんだ。一緒に歩いていたクラスメイトが、いっせいに奇声をあげた。

「おうおう……」

「よう、やるよ……」

だがもう、そんな言葉は、途中から耳に入らなくなった。

いずみの肩をしっかり抱きしめ、僕は、その可愛い顔を上向かせた。

いずみは鼻声で、つまりつまり、いった。

「約束……覚えてる？」

僕は微笑んだ。言葉が出なかった。返事の代わりに、都立K高校始まって以来の快挙をとげたね。

つまり、校門前でのキッス！

本書は一九九七年に講談社文庫として刊行された『不思議の国のアルバイト探偵《アイ》』を改題したものです。

アルバイト・アイ

諜《ちょう》報《ほう》街《がい》に挑《いど》め

大《おお》沢《さわ》在《あり》昌《まさ》

平成26年 3月25日　初版発行
令和6年 11月25日　6版発行

発行者●山下直久

発行●株式会社KADOKAWA
〒102-8177　東京都千代田区富士見2-13-3
電話　0570-002-301（ナビダイヤル）

角川文庫 18456

印刷所●株式会社KADOKAWA
製本所●株式会社KADOKAWA

表紙画●和田三造

●お問い合わせ
https://www.kadokawa.co.jp/（「お問い合わせ」へお進みください）
※内容によっては、お答えできない場合があります。
※サポートは日本国内のみとさせていただきます。
※Japanese text only

ISBN978-4-04-101267-3　C0193

角川文庫発刊に際して

角川源義

第二次世界大戦の敗北は、軍事力の敗北であった以上に、私たちの若い文化力の敗退であった。私たちの文化が戦争に対して如何に無力であり、単なるあだ花に過ぎなかったかを、私たちは身を以て体験し痛感した。西洋近代文化の摂取にとって、明治以後八十年の歳月は決して短かすぎたとは言えない。にもかかわらず、近代文化の伝統を確立し、自由な批判と柔軟な良識に富む文化層として自らを形成することに私たちは失敗して来た。そしてこれは、各層への文化の普及滲透を任務とする出版人の責任でもあった。

一九四五年以来、私たちは再び振出しに戻り、第一歩から踏み出すことを余儀なくされた。これは大きな不幸ではあるが、反面、これまでの混沌・未熟・歪曲の中にあった我が国の文化に秩序と確たる基礎を齎らすためには絶好の機会でもある。角川書店は、このような祖国の文化的危機にあたり、微力をも顧みず再建の礎石たるべき抱負と決意とをもって出発したが、ここに創立以来の念願を果すべく角川文庫を発刊する。これまで刊行されたあらゆる全集叢書文庫類の長所と短所とを検討し、古今東西の不朽の典籍を、良心的編集のもとに、廉価に、そして書架にふさわしい美本として、多くのひとびとに提供しようとする。しかし私たちは徒らに百科全書的な知識のジレッタントを作ることを目的とせず、あくまで祖国の文化に秩序と再建への道を示し、この文庫を角川書店の栄ある事業として、今後永久に継続発展せしめ、学芸と教養との殿堂として大成せんことを期したい。多くの読書子の愛情ある忠言と支持とによって、この希望と抱負とを完遂せしめられんことを願う。

一九四九年五月三日

角川文庫ベストセラー

アルバイト・アイ 命で払え　大沢在昌

冴木隆は適度な不良高校生。父親の涼介はずぼらで女好きの私立探偵で凄腕らしい。そんな父に頼まれて隆はアルバイト探偵として軍事機密を狙う美人局事件や戦後最大の強請屋の遺産を巡る誘拐事件に挑む！

アルバイト・アイ 毒を解け　大沢在昌

「最強」の親子探偵、冴木隆と涼介親父が活躍する大人気シリーズ！　毒を盛られた涼介親父を救うべく、東京を駆ける隆。残された時間は48時間。調毒師はどこだ？　隆は涼介を救えるのか？

アルバイト・アイ 王女を守れ　大沢在昌

冴木涼介、隆の親子が今回受けたのは、東南アジアの島国ライールの17歳の王女の護衛。王位を巡り命を狙われる王女を守るべく二人はある作戦を立てるが、王女をさらわれてしまい…隆は王女を救えるのか？

天使の牙 (上)(下)　大沢在昌

新型麻薬の元締め〈クライン〉の独裁者の愛人はつみが警察に保護を求めてきた。護衛を任された女刑事・明日香ははつみと接触するが、銃撃を受け瀕死の重体に。そのとき奇跡は二人を〝アスカ〟に変えた！

天使の爪 (上)(下)　大沢在昌

麻薬密売組織「クライン」のボス、君国の愛人の体に脳を移植された女刑事・アスカ。かつて刑事として活躍した過去を捨て、麻薬取締官として活躍するアスカの前に、もう一人の脳移植者が敵として立ちはだかる。

角川文庫ベストセラー

冬の保安官　大沢在昌

シーズンオフの別荘地に拳銃を片手に迷い込んだ娘と、別荘地の保安管理人として働きながら己の生き方を頑なに貫く男の交流を綴った表題作の他、大沢ファン必読の「再会の街角」を含む短編小説集。

らんぼう　大沢在昌

事件をすべて腕力で解決する、とんでもない凸凹刑事コンビがいた！　柔道部出身の巨漢「ウラ」と、小柄だが空手の達人「イケ」。〝最も狂暴なコンビ〟が巻き起こす、爆笑あり、感涙ありの痛快連作小説！

秋に墓標を（上）（下）　大沢在昌

都会のしがらみから離れ、海辺の街で愛犬と静かな生活を送っていた松原龍。ある日、龍は浜辺で一人の見知らぬ女と出会う。しかしこの出会いが、龍の静かな生活を激変させた……！

魔物（上）（下）　大沢在昌

麻薬取締官・大塚はロシアマフィアと地元やくざとの麻薬取引の現場を押さえるが、運び屋のロシア人は重傷を負いながらも警官数名を素手で殺害し逃走。その超人的な力にはどんな秘密が隠されているのか？

ブラックチェンバー　大沢在昌

警視庁の河合は〈ブラックチェンバー〉と名乗る組織にスカウトされた。この組織は国際犯罪を取り締まり奪ったブラックマネーを資金源にしている。その河合たちの前に、人類を崩壊に導く犯罪計画が姿を現す。